# Devenez un champion
## en orthographe

**Les annales
des dicos d'or**
*de Bernard Pivot*

# Devenez un champion
# en orthographe

## Micheline Sommant

*avec la collaboration de*
*Jean-Pierre Colignon, Bernard Laygues,*
*Marie-Hélène Tournadre, Annick Valade*

**Albin Michel**

© Dicos d'or, 2003
22, rue Huyghens, 75014 Paris
ISBN 2-226-13810-2

# Préface

## *Fouette, cocher !*

S i l'un de nous était capable de faire tous les tests de cet ouvrage sans commettre une seule erreur, il serait plus que fortiche, un crack, plus qu'un crack, la lumière même. Cochez, barrez, rayez, accordez, corrigez... On croirait une épreuve de décathlon. C'en est une à laquelle concourent l'intelligence, la mémoire, la culture, l'intuition aussi. On passe allègrement – mais il n'est pas interdit de reprendre son souffle entre deux épreuves – d'un questionnaire sur le genre des noms à un texte dans lequel il faut dénombrer les fautes d'orthographe, d'un test sur une conjugaison (Jeanne, vas délivrer Orléans ! Va-z-y ! Jeanne, va délivrer Orléans ! Va-s-y ! Jeanne, va délivrer Orléans ! Vas-y ! Jeanne, vas délivrer Orléans ! Vas-y ! Réponse page 73) à une énumération de mots parmi lesquels il convient de repérer l'importun. C'est souvent difficile. C'est parfois facile, très facile. C'est parfois très difficile. C'est souvent amusant. C'est toujours instructif. Et même, lâchons le mot, pédagogique.

Le livre regroupe tous les tests pour les juniors et pour les seniors soumis aux candidats des Dicos d'or depuis leurs débuts, en 1985, sous l'appellation « Championnat de France d'orthographe ». Ce sont les annales d'une compétition qui, chaque année, se propose, au départ, de faire une première sélection parmi quelque vingt mille candidats (hors filière scolaire). On ne peut en retrouver que six ou sept mille aux finales régionales. Les tests éliminent les moins forts ou les plus... étourdis.

Car rien n'empêche quiconque de répondre aux questions en s'aidant d'un dictionnaire. Chacun chez soi, avec le numéro de *Lire*[1] sous les yeux, consulte, s'il le désire, *Le Petit Larousse*, *Le Petit Robert*, le Thomas, le Grevisse, les Bescherelle, etc., afin de faire un sans-faute. Mais, même avec un dico et une

1. Fondateur des Dicos d'or, le magazine *Lire* publie, chaque année, dans son numéro daté d'avril, les tests de qualification. Ce fut longtemps une exclusivité. C'est maintenant une priorité. Ensuite, *l'Express* les fait paraître, suivi depuis quelque temps par de nombreux quotidiens de la presse régionale.

grammaire, il peut arriver à tout le monde, ou presque, de chuter. Alors, sans le secours d'un ouvrage de référence...

Je vous conseille précisément de répondre aux tests en ne comptant que sur vous, en n'appelant personne à votre secours. Ainsi saurez-vous ce dont vous êtes capable ; ainsi serez-vous à même de jauger vos connaissances. Ou alors jouez en famille, organisez une compétition entre parents et amis, faites-les plancher sur les questions les plus amusantes, les plus bizarres, les plus perverses... Les réponses sont toujours quelques pages plus loin.

Ce livre a un autre avantage : proposer une manière différente de faire la dictée, offrir de se mesurer à l'orthographe d'une façon originale. En effet, sont soumis à l'attention du lecteur des textes dont Micheline Sommant est l'auteur et dans lesquels elle a glissé volontairement des erreurs. Il faut les repérer. Repérer, c'est corriger. Il faut les compter. Compter juste, en l'occurrence, ce n'est pas être costaud en maths, c'est être excellent en français. Il arrive qu'on ait la désagréable surprise de se retrouver avec une faute de plus que le total indiqué par le jury. Cherchez l'erreur qui n'en était pas une...

Mais l'exercice le plus répandu du livre consiste à cocher les bonnes cases. D'abord réfléchir, puis choisir, enfin cocher. Quand on sait, les trois verbes se conjuguent dans le même instant. Combien ce livre contient-il de voyages, d'escapades, de détours, d'excursions dans la langue française ?

Allez, fouette, cocher !

Bernard Pivot

*Les tests des années 1985 et 1986 sont communs aux deux catégories Cadets/Juniors et Seniors qui n'ont pas été différenciées les deux premières années. Il n'y a pas eu de tests qualificatifs en 1992.*

*atelier #1*

# *Tests 1985*

**1.** Indiquez la lettre manquante, *m* ou *n*, dans les mots suivants :

embo**m**point          néa**n**moins
ga**n**grène            age**n**da
déco**m**bres           riba**m**belle

**2.** Quels mots ne prennent qu'un seul *c* ?

accord                  éccoutille ✓
accadémie ✓             accrobate ✓
occuliste ✓             occasion
occultisme              accacia ✓
ecclésiastique          accoustique ✓

*et signification !*

**3.** Dans chacune de ces expressions ou locutions, quel est le mot correct ?

peu ou **prou / proue**
prendre le **mors / mort** aux dents
**en vers / envers** et contre tous
avoir deux **poids / pois**, deux mesures
se faire du mauvais **sang / sens**

**4.** Quel est, des deux mots, celui qui convient ?

Il l'a **agoni / agonisé** d'injures.
Elle a fait brusquement **éruption / irruption** dans la salle.
Il y a eu une **collusion / collision** entre ces deux véhicules.
Il a tenu compte de vos **sujétions / suggestions** pour écrire sa lettre sans fautes.

**5.** Masculin ou féminin, il faut choisir...

|              | M | F |
|--------------|---|---|
| lycée        | ☑ | ☐ |
| oasis        | ☐ | ☑ |
| poulpe       | ☐ | ☐ |
| panacée      | ☐ | ☑ |
| éliminatoire | ☐ | ☑ |
| tentacule    | ☑ | ☐ |

écritoire ☐ ☑
amiante ☑ ☐

**6.** Dans chaque groupe de mots, lequel est mal orthographié ?

Terminaison en *-illier*
☐ un groseillier
☐ un quincaillier
☑ un oreillier
☐ un vanillier
☐ un joaillier

Terminaison en *-the*
☐ une plinthe
☐ une absinthe
☑ un athlèthe
☐ un homéopathe
☐ un labyrinthe

Terminaison en *-tiel*
☑ artifitiel
☐ démentiel
☐ torrentiel
☐ présidentiel
☐ confidentiel

**7.** Dans chaque série de trois mots appartenant à la même famille, l'un est mal orthographié...

| | | |
|---|---|---|
| ☐ imbécile | ☐ émigration | ☐ bonhomme |
| ☐ imbécilement | ☑ imigration | ☐ surhomme |
| ☑ imbécilité | ☐ transmigration | ☑ bonhommie |
| | | |
| ☐ honneur | ☐ battu | ☑ charriot |
| ☑ déshonnorer | ☑ courbattu | ☐ charrette |
| ☐ malhonnête | ☐ rabattu | ☐ charretier |

**8.** Un seul de ces trois proverbes est correctement orthographié, lequel ?

☐ Comme on connait ses saints, on les honore.
☐ Bien mal acquit ne profite jamais.
☐ Un tiens vaut mieux que deux tu l'auras.

**9.** Parmi ces mots composés au pluriel, certains sont mal orthographiés. Il s'agit des :

| | | |
|---|---|---|
| ☐ serre-têtes | ☐ chiens-loups | ☐ rouges-gorges |
| ☐ serre-livres | ☐ loups-garoux | ☐ blancs-becs |
| ☐ serre-files | ☐ loups-cerviers | ☐ roses-croix |

**10.** Dans le texte suivant, retrouvez et comptez les fautes...
[Attention ! Comptez une faute par mot ou élément de mot composé mal orthographié, qu'il contienne une ou plusieurs erreurs (il n'y a pas de demi-faute).

Une même erreur dans un texte compte autant de fois qu'elle est répétée.

**Exemples :**

un oizeau = 1 faute

un oizeaux = 1 faute

un oîseau = 1 faute

un oiseaux = 1 faute

dès oizeaux-mouche = 3 fautes]

Il n'est pas exceptionnel de trouver des édelweiss ou des cyclamen en montagne ; en revanche, on y rencontre guère d'azalées, de fuschias, de dahlias, de magniolias, de saccifrages ou de renomcules. Ses fleurs traditionnelles sont, il est vrai, plus courante dans nos jardins. *Voir corrigé.*

# Réponses 1985

**1.** Il faut écrire : embonpoint, gangrène, décombres, néanmoins, agenda, ribambelle.

**Règle** : devant *m, b, p,* il faut toujours placer un *m* sauf dans bonbon, bonbonnière, embonpoint, néanmoins, nonpareil, etc.

**2.** Il ne faut qu'un *c* à : académie, oculiste, écoutille, acrobate, acacia, acoustique.

**3.** Il faut écrire : peu ou **prou** ; prendre le **mors** aux dents ; **envers** et contre tous ; avoir deux **poids**, deux mesures ; se faire du mauvais **sang**.

**4.** Les formes correctes sont :

Il l'a **agoni** d'injures.
Elle a fait brusquement **irruption** dans la salle.
Il y a eu une **collision** entre ces deux véhicules.
Il a tenu compte de vos **suggestions** pour écrire sa lettre sans fautes.

**5.** On écrira : **un** lycée, **un** poulpe, **un** tentacule, **un** amiante.
Mais : **une** panacée, **une** éliminatoire, **une** écritoire.
On dit généralement **une** oasis ; cependant, *le Petit Robert 1* admet le féminin ou le masculin.

**6.** Dans la première série : **oreiller** ; dans la deuxième série : **athlète** ; dans la troisième série : **artificiel**.

**7.** Il s'agit de : imbécillité, qui prend deux *l* ; immigration, qui prend deux *m* ; bonhomie, qui ne prend qu'un *m* ; déshonorer, qui ne prend qu'un *n* ; courbatu, qui ne prend qu'un *t* ; chariot, qui ne prend qu'un *r*.

**8.** Il faut écrire :
Comme on connaît ses saints, on les honore.
Bien mal acquis ne profite jamais.
Le troisième proverbe est correctement orthographié.

**9.** On écrit : des serre-tête, des serre-livres, des serre-files ; des chiens-loups, des loups-garous, des loups-cerviers ; des rouges-gorges, des blancs-becs, des rose-croix.

**10.** Voici le texte correctement orthographié, dans lequel il fallait trouver **9** fautes.

Il n'est pas exceptionnel de trouver des **e**delweiss ou des cyclamens en montagne ; en revanche, on **n**'y rencontre guère d'azalées, de fu**chs**ias, de dahlias, de ma**gno**lias, de saxifrages ou de renon**c**ules. **C**es fleurs traditionnelles sont, il est vrai, plus courantes dans nos jardins.

*atelier #2*

# *Tests 1986*

**1.** Quels sont les mots mal orthographiés ?

☑ cauchemard      ☐ brassard

☐ léopard      ☐ étendard

☐ poignard      ☐ scolaire

☐ paritaire      ☑ aurifaire

☐ salutaire      ☐ subsidiaire

☐ décaper      ☑ japer

☐ attraper      ☐ taper

**2.** Retrouvez les proverbes incorrects :

☐ Les bons contes font les bons amis.
☐ Qui aime bien châtie bien.

☐ Chose promise, chose dûe.
☐ Charité bien ordonnée commence par soi-même.

**3.** Parmi ces mots, certains sont mal orthographiés...

☑ un avant-propos
☐ une jackette *jaquette*
☐ un signet
☐ des ex-libris
☐ une tranche

☐ un épilogue
☐ une iconographie
☑ des chapîtres *chapitres*
☐ des folios
☑ des fueillets *feuillets*

**4.** Certains pluriels sont fautifs. Lesquels ?

☐ des carnavals
☐ des chacals
☐ des essieux
☑ des éventaux *éventails*

☐ des récitals
☐ des soupiraux
☐ des chefs-lieux
☑ des pneux *pneus*

**5.** Dans ce texte, faites le bon choix entre :

**Si tôt / Sitôt** les championnats ouverts, il consulta les dictionnaires, et pour ne pas être **marri / mari** il s'entraînait de jour, de nuit. Plus de **balades / ballades** dans la nature : il révisait mots et tournures, cela dans le **dessein / dessin** heureux de triompher des paresseux, car sont **sensés / censés** être gagnants ceux qui auront appris à temps.

**6.** Quels sont les *s* en trop ?

des avants-derniers

des arrières-saisons

des sous-chefs

des dessus-de-lits

des avants-toits

des arrières-chœurs

des à-côtés

des faces-à-mains

**7.** Certains de ces nombres ne prennent pas de traits d'union. Lesquels ?

deux-cent-mille ✓

cinquante-six

quatre-vingt-huit

cent-six ✓

dix-neuf

quatre-vingt-dix-neuf

*règle ?*
*trait d'union*
*nombres complexes*
*inférieurs à 100.*

**8.** Trouverez-vous les formes incorrectes ?

☐ une paillote                  ☐ un polyglote

☐ un corricide                  ☐ un correligionnaire

☐ des maisons décrépies    ☐ des maisons décrépites

☐ une afféterie                 ☐ un émerie

☐ une barcarolle               ☐ une corolle

☐ de vieilles gens             ☐ de vieils gens

**9.** Certains mots sont **du** genre masculin, d'autres du genre féminin, d'autres encore du genre masculin et du genre féminin. Saurez-vous les distinguer ?

☐ aire
☐ diapositive
☐ psaume
☐ escarpe
☐ repaire

☐ enseigne
☐ vigie
☐ vigile
☐ épithète
☐ mémoire

**10.** Trouverez-vous les formes incorrectes qui ont pu se glisser dans ces séries de trois mots ?

☐ bateau
☐ batellier
☐ batellerie

☐ brique
☐ briquetier
☐ briqueterie

☐ oiseau
☐ oiselier
☐ oisellerie

☐ faïence
☐ faïençier
☐ faïencerie

☐ graine
☐ grainetier
☐ grainetterie

☐ robinet
☐ robinetier
☐ robinetterie

**11.** Dans lesquels de ces mots l'emploi du tréma est-il incorrect ?

☑ une coëxistence
☑ une moëlle

☑ une acuïté
☐ une douleur aiguë

☐ un coïnculpé     ☑ une ténuïté
☑ un moëllon     ☑ une voix pointuë

**12.** Il faut ici conserver le mot approprié...

En **butte / but** à des propos railleurs, elle a refusé de prêter le **flan / flanc** à des bavardages qui ont tourné **court / courts** car elle s'est fait **fort / forte** de les faire cesser de **but / butte** en blanc.

**13.** Dans le texte suivant, retrouvez et comptez les fautes (voir modalités p. 13)...

On aurait pu loué l'un de ces ténébreux châteaux forts comme on en voie en Écosse pour planter le décor d'un championnat d'orthographe insolite : à vous d'imaginer alors un fantômatique maître des lieues, tout de blanc vêtu, ânnonant un message sybillin en guise de dictée, et, tout prêts de vous, une ronde de sylphides vous surveillant dans les vestiges d'un donjon.

Nul doute que le plus sorcier d'entre vous, ayant triomphé des épreuves, gagneraient un grand voyage dans l'au-delà.

# Réponses 1986

**1.** Il faut écrire : cauchema**r** ; aurif**è**re ; ja**pp**er. Les autres mots sont bien orthographiés.

**2.** Seuls les deuxième et quatrième proverbes sont correctement orthographiés. On doit écrire : « Les bons **comptes** font les bons amis », et « Chose promise, chose **due** ».

**3.** On doit écrire : un avan**t**-**p**ropos ; une ja**qu**ette ; des cha**p**itres ; des f**eui**llets. Les autres mots étaient correctement écrits.

**4.** Les pluriels corrects sont : des éven**tails** ; des pn**eus**.

**5.** Il fallait écrire : **Sitôt** les championnats ouverts, il consulta les dictionnaires, et pour ne pas être **marri** il s'entraînait de jour, de nuit. Plus de **balades** dans la nature : il révisait mots et tournures, cela dans le **dessein** heureux de triompher des paresseux, car sont **censés** être gagnants ceux qui auront appris à temps.

**6.** On doit écrire : des avant-derniers ; des arrière-saisons ; des dessus-de-lit ; des avant-toits ; des arrière-chœurs ; des faces-à-main.

**7.** Seuls **deux cent mille** et **cent six** ne prennent pas de traits d'union.

**8.** On doit écrire : un polyglotte ; un coricide ; un coreligionnaire ; un émeri ; de vieilles gens.
Attention ! **décrépies** pour des maisons dont les murs ont perdu leur crépi ; **décrépites** pour des maisons atteintes par la décrépitude, le délabrement (comme pour des personnes affaiblies par l'âge).

**9.** On dit : **une** aire ; **un** ou **une** enseigne ; **une** diapositive ; **une** vigie ; **un** psaume ; **un** ou **une** vigile ; **un** ou **une** escarpe ; **une** épithète ; **un** repaire ; **un** ou **une** mémoire.

**10.** On doit écrire : un batelier ; un faïencier ; une graineterie.

**11.** On doit écrire : une coexistence ; une acuité ; une moelle ; une ténuité ; un moellon ; une voix pointu**e**.

**12.** Il faut garder les mots suivants : en **butte** à ; prêter le **flanc** ; tourné **court** ; s'était fait **fort** ; de **but** en blanc.

**13.** Voici le texte corrigé, dans lequel il fallait trouver **9** fautes :

On aurait pu lou**er** l'un de ces tén**é**breux châteaux forts comme on en voi**t** en Écosse pour planter le décor d'un championnat d'orthographe insolite : à vous d'imaginer alors un fant**o**matique maître des lieu**x**, tout de blanc vêtu, ân**onn**ant un message sibyllin en guise de dictée, et, tout pr**ès** de vous, une ronde de sylphides vous surveillant dans les vestiges d'un donjon.
Nul doute que le plus sorcier d'entre vous, ayant triomphé des épreuves, gagner**ait** un grand voyage dans l'au-delà.

# CADETS-JUNIORS

# Tests 1987

**1.** Certains mots ne prennent pas de *ç* mais un *c*, lesquels ?

- ☐ une rançon
- ☐ une gerçure
- ☐ un limaçon

- ☑ un sourçil
- ☑ un faisçeau
- ☑ un acquiesçement

**2.** De ces verbes, quels sont ceux conjugués à l'imparfait de l'indicatif ?

- ☐ j'acquerrais
- ☐ tu payais
- ☐ vous riez

- ☐ nous enseignons
- ☐ il ployait
- ☐ je jetai

**3.** Dans chaque phrase, selon le sens, quelle est la bonne orthographe ?

Les **cahots / chaos** de la voiture secouaient les passagers.

Placez ce **philtre / filtre** à café.

Laissez-le : aujourd'hui, il a beaucoup **à faire / affaire**.

Les **quelquefois / quelques fois** où je suis allé le voir, il peignait.

Ce vase n'est pas très **différend / différent** des autres.

**4.** Trouvez l'intrus dans chaque colonne :

☐ monnaie      ☐ sonner      ☐ tonnerre
☐ monnayer     ☐ consonne    ☐ étonner
☑ monnétaire   ☑ sonnate     ☑ détonnation

**5.** Voici douze noms relatifs à la musique. Certains sont mal écrits, lesquels ?

☑ des cymballes   ☐ une batterie       ☑ une flute
☐ un piano        ☑ un tubat           ☑ un bandjo
☐ une trompette   ☐ un saxophone       ☐ une mandoline
☐ un hautbois     ☐ un synthétiseur    ☑ une clarinnette

**6.** Bien que dépaysants, certains de ces adjectifs qualificatifs sont mal orthographiés. Lesquels ?

☐ un jardin babylonien
☑ une poésie persanne
☐ une chanson portugaise

☑ un miel provençal
☐ le pays flamant
☑ un café liègeois

**7.** Dans le texte suivant, retrouvez et comptez les fautes (voir modalités p. 13) :

Après avoir diligeamment enquêté et s'être amusé à receuillir des témoignages divertissant de navigateurs, de copilotes et de passagers, la journaliste rédigea son article. Celui-ci avait très aux anecdotes survenues aux cours de divers voyages effectués à bord d'une montgolfière, sur des canaux pneumatiques, à bord de sous-marins et d'avions supersonniques, et même... sur un tapis-volant !

# Réponses 1987

**1.** Il faut écrire : un **sourcil**, un **faisceau**, un **acquiescement.**

**2.** Seuls **payais** et **ployait** étaient conjugués à l'imparfait de l'indicatif.

**3.** Le bon choix est : les **cahots** de la voiture ; ce **filtre** à café ; beaucoup **à faire** ; les **quelques fois** ; pas très **différent.**

**4.** Il s'agit de : monétaire, sonate, détonation.

**5.** Il faut écrire : des cymbales, un tuba, une flûte, un banjo, une clarinette.

**6.** Il faut écrire : une poésie persane, le pays flamand, un café liégeois.

**7.** Voici le texte corrigé, dans lequel il fallait trouver **10** fautes :

Après avoir diligemment enquêté et s'être amusée à recueillir des témoignages divertissants de navigateurs, de copilotes et de passagers, la journaliste rédigea son article. Celui-ci avait trait aux anecdotes survenues au cours de divers voyages effectués à bord d'une montgolfière, sur des canots pneumatiques, à bord de sous-marins et d'avions supersoniques, et même... sur un tapis volant !

# *Tests 1988*

**1.** De ces noms attachés à la terre, cueillez ceux du genre féminin :

- ☐ iris
- ☐ héliotrope
- ☐ lichen
- ☐ orchidée

- ☐ azalée
- ☐ aloès
- ☐ chrysanthème
- ☐ chèvrefeuille

- ☐ anis
- ☐ oronge
- ☐ colchique
- ☐ asphodèle

**2.** Quels sont les verbes bien orthographiés à l'indicatif présent ?

- ☐ il vaint
- ☐ il moud
- ☐ il crochète

- ☐ il parait
- ☐ il absoud
- ☐ il déchoie

- ☐ il clot
- ☐ il mort
- ☐ il poind

**3.** Un grand vent aurait-il soufflé ? Dénombrez tous les accents manquants :

Sur un trois-mats, a babord, un navigateur fute au goitre proeminent et un psychiatre recru de fatigue etudiaient le fac-simile d'une carte a la recherche d'une ancienne geole devenue un havre pour des ephebes extraterrestres.

**4.** Complétez chaque phrase par le mot juste :

L'ordonnance portait le ... royal.
☐ seau ☐ sot ☐ sceau ☐ saut

Ses yeux ... me regardaient.
☐ pairs ☐ pères ☐ pers ☐ paires

Il avait démarré au ... de tour.
☐ car ☐ quart ☐ carre

Un ... vaut quatre-vingt-dix degrés.
☐ cadran ☐ quadrant

**5.** Distinguerez-vous les phénomènes météo et les vents mauvais... orthographiquement ?

☐ l'armattan    ☐ le zéphir    ☐ la mousson
☐ l'alizé       ☐ le simoune   ☐ la tornade

☐ le cyclone  ☐ le mistral  ☐ l'autant
☐ l'ouragan  ☐ la tramontagne  ☐ l'aquilon

**6.** Quelle est la phrase mal orthographiée ?

☐ Apportez-moi les documents que j'ai fait photo-copier.

☐ Que d'obstacles les navigateurs ont-ils dus sur-monter avant d'achever la traversée !

☐ Notez bien les objectifs que les deux sœurs se sont donnés.

**7.** Dans le texte suivant, trouvez et comptez les fautes (voir modalités p. 13)...

Quoi qu'ils aient fait des plans démenciels dans le dessin de râfler les vingt et un millions deux mille deux cents cinquante francs contenus dans les cof-fres-forts de deux ex-bonnettiers radoteurs, les hors-la-loi ne s'étaient pas douté du guet-appens qui leur était préparé. En effet, s'étant immissés dans la mai-son aux ténèbres épais, ils s'étaient trouvé assaillis par des policiers plutôt mastocs. Réalisant trop tard que d'aucuns s'était joué d'eux, ils manifestèrent expressement une colère exacerbée.

# Réponses 1988

**1.** Sont du genre féminin : **orchidée, azalée, oronge.**

**2.** Seuls **il moud** et **il crochète** sont bien orthographiés à l'indicatif présent. Voici les autres verbes, correctement orthographiés à l'indicatif présent : il vainc (vaincre), il paraît, il absout, il déchoit, il clôt, il mord, il point (du verbe **poindre**).

**3.** Il manque **11** accents : trois-mâts, à bâbord, futé, proéminent, étudiaient, fac-similé, à (la recherche), geôle, éphèbes.

**4.** Les bonnes réponses sont : le **sceau** royal ; ses yeux **pers** ; au **quart** de tour ; un **quadrant**.

**5.** Il faut écrire : **h**armattan, zéph**y**r, simou**n**, tramon-
tane, auta**n**.

**6.** La deuxième phrase doit s'écrire ainsi : « Que
d'obstacles les navigateurs ont-ils **dû** surmonter ! »
**Obstacles** n'est pas complément d'objet direct de **ont
dû**, mais de **surmonter**, donc **dû** est invariable.

**7.** Voici le texte corrigé, dans lequel il fallait trouver
**16** fautes :

Quoiqu'ils aient fait des plans démentiels dans le
dessein de **r**afler les vingt et un millions deux mille
deux cent cinquante francs contenus dans les coffres-
forts de deux ex-bonnetiers radoteurs, les hors-la-loi
ne s'étaient pas doutés du guet-apens qui leur était
préparé. En effet, s'étant immiscés dans la maison
aux ténèbres épaisses, ils s'étaient trouvés assaillis
par des policiers plutôt mastoc. Réalisant trop tard
que d'aucuns s'étaient joués d'eux, ils manifestèrent
expressément une colère exacerbée.

# Tests 1989

**1.** Quels sont les mots mal orthographiés ?

☐ des œils-de-bœufs
☐ des abat-jour
☐ des landaus
☐ des pur-sang

☐ des vice-présidents
☐ des riz
☐ des soupirails
☐ des turbo-réacteurs

**2.** Quelles sont les phrases fautives ?

☐ Cette photo représente des météores lumineux.
☐ Plusieurs anagrammes peuvent être formées à partir du mot « nacre ».
☐ Les scolopendres sont aussi appelés mille-pattes.
☐ L'industrie technique a atteint son apogée triomphal.
☐ À quelle note renvoie cette astérisque ?

**3.** Pour chaque phrase, dénombrez les fautes :

Un jeune Cairote qui roulait en carosse croquait une carotte.

Un feuilletoniste narrait les aventures inouïes d'un accordéoniste amoureux d'une bouquiniste.

Sous une pluie torrentielle, un coursier remit un pli confidentiel aux autorités présidentielles.

**4.** Quelle est la bonne expression ?

... de basse-cour
☐ volatil
☐ volatile

... de l'hélice
☐ pal
☐ pale

... de l'aigle
☐ aire
☐ ère

... rose
☐ flamant
☐ flamand

**5.** Saurez-vous trouver les phrases fautives ?

☐ C'est moi, et moi seul, qui peut te donner la solution du problème.

☐ Voici les tableaux qu'ils ont faits venir de l'étranger pour l'exposition consacrée à Gauguin.

☐ C'est sa sœur qu'il a appelée par son prénom.

☐ Douze acteurs ont été choisis, parmi les cent proposés, pour ce film.

**6.** Combien de fois la lettre *c* manque-t-elle dans ce texte ?

Pour une pecadille – cinq kopeks environ – un académicien nietzshéen, acoquiné avec une acorte oculiste, acheta dans une brocante une vieille ordonnance qui portait un seau, en l'ocurrence celui de Louis XIV. Sa compagne, vêtue d'un anorak, préférant aquérir un ocarina et un septre en acacia, régla un acompte avant d'aller jouer au poker pour essayer de payer le tout.

**7.** Dans le texte suivant, retrouvez et comptez les fautes (voir modalités p. 13)...

Ah ! Révolution, que de manifestations on a d'ors et déjà organisé en ton nom ! Grâce au bicentenaire, combien de discours dythirambiques l'on a prononcé, combien de spectacles se sont montés et combien d'historiens se sont plus et se sont délectés à examiner des facsimiles de divers assignats... Quelques deux cents cinquante ouvrages sont parus sur le sujet... Et la dictée ? me direz-vous. D'après les on-dits, elle serait prévue – au pis-aller – vers brûmaire ; aussi prévoyiez des laissez-passers en règle pour ce jour-là. Quand aux coqs, ils se portent bien, mais ils se sont demandés s'ils n'allaient pas troquer la crête traditionnelle pour le bonnet phrigyen, voir la cocarde : où va-t'on !

# Réponses 1989

**1.** Il faut écrire : des œils-de-bœuf ; des landaus ; des soupiraux ; des turboréacteurs (en un seul mot). Noter que **riz**, mot terminé par *z*, demeure invariable au pluriel, comme **nez, gaz**, etc.

**2.** Il faut écrire : « Les scolopendres sont aussi appelées mille-pattes » car on dit **une scolopendre** ; « À quelle note renvoie **cet** astérisque ? » car on dit **un astérisque**.

**3.** La première phrase comportait **1** faute. « Un jeune Cairote qui roulait en carrosse croquait une carotte. » **Chariot** ne prend qu'un *r*, mais **carrosse, charrette, carriole**, de la même famille, ont deux *r*. Les deuxième et troisième phrases n'en comportaient aucune.

**4.** Il faut écrire : un **volatile** de basse-cour (mais un gaz **volatil**) ; l'**aire** de l'aigle (mais l'**ère** chrétienne) ; la **pale** de l'hélice (mais le **pal**, pièce de bois) ; le **flamant** rose (mais **flamand**, des Flandres).

**5.** La première phrase doit s'écrire : « C'est moi, et moi seul, qui peux te donner la solution du problème. » Le sujet **qui** ayant pour antécédent **moi** entraîne la conjugaison du verbe à la première personne du singulier. La deuxième phrase doit s'écrire : « Voici les tableaux qu'ils ont **fait** venir de l'étranger pour l'exposition consacrée à Gauguin. » Le participe passé **fait** reste toujours invariable lorsqu'il est suivi d'un verbe à l'infinitif.

**6.** Il manque 8 *c*.

Pour une peccadille – cinq kopecks environ – un académicien nietzschéen, acoquiné avec une accorte oculiste, acheta dans une brocante une vieille ordonnance qui portait un sceau, en l'occurrence celui de Louis XIV. Sa compagne, vêtue d'un anorak, préférant acquérir un ocarina et un sceptre en acacia, régla un acompte avant d'aller jouer au poker pour essayer de payer le tout.

**7.** Voici le texte corrigé, dans lequel il fallait trouver **19** fautes :

Ah ! Révolution, que de manifestations on a d'ores et déjà organisé**es** en ton nom ! Grâce au bicentenaire, combien de discours di**t**hyrambiques l'on a prononc**és**, combien de spectacles se sont montés et combien d'historiens se sont pl**u** et se sont délectés à examiner des fa**c**-simil**és** de divers assignats... Quelqu**e** deux cent cinquante ouvrages sont parus sur le sujet... Et la dictée ? me direz-vous. D'après les on-di**t**, elle serait prévue – au pis **a**ller – vers br**u**maire ; aussi prévoy**ez** des laissez-passer en règle pour ce jour-là. Quan**t** aux coqs, ils se portent bien, mais ils se sont demand**é** s'ils n'allaient pas troquer la cr**ê**te traditionnelle pour le bonnet phrygien, voir**e** la cocarde : où va-**t**-on !

Commentaires :

• **organisées** : ce participe passé s'accorde avec le complément d'objet direct **manifestations** placé avant lui.

• **dithyrambiques** : attention ! *i*, puis *y*, puis *i*.

• **prononcés** : s'accorde avec le complément d'objet direct **discours dithyrambiques**, placé avant lui.

• **plu** : le participe passé du verbe pronominal **se**

**plaire** demeure invariable car il ne peut avoir de complément d'objet direct.

• **fac-similés** : issu du latin, ce mot composé francisé prend un trait d'union, un accent sur le *e* et s'accorde en nombre.

• **quelque** est ici adverbe, donc invariable, et signifie « environ ».

• **cent** : précédé de **deux**, mais suivi de **cinquante**, **cent** demeure invariable.

• **on-dit** : phrase à l'origine, ce nom est invariable et prend un trait d'union.

• **au pis aller** : la locution ne prend pas de trait d'union, mais le nom masculin invariable **pis-aller** en prend un.

• **laissez-passer** : ce mot composé de deux verbes est invariable.

• **quant** : ne pas confondre avec **quand**, conjonction de temps.

• **demandé** : ce participe passé reste invariable puisque le complément d'objet direct que constitue la proposition subordonnée conjonctive **s'ils n'allaient pas [...] cocarde** est placé après lui.

• **voire** : adverbe qui signifie « et même » (rien à voir... avec le verbe **voir** !).

# Tests 1990

**1.** Faites le tri et ne retenez que les noms féminins :

- ☐ hémisphère
- ☐ omoplate
- ☐ musée
- ☐ horoscope
- ☐ ananas
- ☐ incendie

- ☐ obélisque
- ☐ anagramme
- ☐ planisphère
- ☐ astrolabe
- ☐ idole
- ☐ ébène

**2.** Quels sont les mots invariables au pluriel ?

- ☐ rouge-gorge
- ☐ gaz
- ☐ *fa*

- ☐ estomac
- ☐ supermarché
- ☐ dahlia

☐ vidéocassette          ☐ porte-plume
☐ lynx                   ☐ poids

**3.** Démêlez le vrai du faux :

|  | vrai | faux |
|---|---|---|
| En tant qu'adjectif numéral, mille est toujours invariable. | ☐ | ☐ |
| Dans ci-gît, gît est le présent du subjonctif du verbe gésir. | ☐ | ☐ |
| Fauve, en tant qu'adjectif de couleur, est invariable. | ☐ | ☐ |

**4.** Choisissez les mots convenant à ces phrases :

Ce souterrain est devenu le ... d'une bande de malfaiteurs.
☐ repère
☐ repaire

Les palmiers verts étaient remplis de ... jaunes.
☐ dattes
☐ dates

Le ... est un très grand serpent non venimeux.
☐ piton
☐ python

**5.** Dans le texte suivant, retrouvez et comptez les fautes (voir modalités p. 13)...

Tout excitées par les images psychédiliques et par les décibelles fort assourdissantes d'un clipe, les jeunes télespectateurs trépignaient en attendant la vedette rock du moment, quand surgit sur l'écran un énorme galinacé tout rouge qui ventait la qualité des pattes aux œufs. Publicité oblige !

# *Réponses 1990*

**1. Omoplate, anagramme, idole** et **ébène** sont du genre féminin. Attention ! On dit **un** hémisphère, **un** planisphère, mais **une** sphère, **une** atmosphère ; on dit **une** anagramme, mais **un** télégramme.

**2. Porte-plume** reste invariable au pluriel. Les noms dont la finale est *s*, *x*, *z* demeurent invariables : **des gaz, des lynx, des poids.** *Fa*, note de musique, tout comme les autres notes, *si*, *la*, etc., est invariable.

**3.** La première affirmation est vraie. La deuxième, fausse, car, dans **ci-gît**, **gît** est le présent de l'indicatif (et non du subjonctif) du verbe **gésir**. La troisième est fausse, car **fauve**, en tant qu'adjectif de couleur, est variable.

**Règle** : lorsqu'un nom est utilisé comme adjectif de couleur, il demeure invariable ; mais il existe des exceptions : **fauve, rose, pourpre, écarlate, incarnat** et **mauve.**

**4.** Il ne faut pas confondre : un **repaire** de malfaiteurs avec un **repère** (signe, marque), ni les **dates** du calendrier avec les **dattes** des palmiers, ou encore le **python** (grand serpent) avec le **piton** (clou ou mont de haute altitude).

**5.** Voici le texte corrigé, dans lequel il fallait trouver **9** fautes :

Tout excit**és** par les images psychédéliques et par les décibe**ls** fort assourdissan**ts** d'un cli**p**, les jeunes télé-spectateurs trépignaient en attendant la vedette rock du moment, quand surgit sur l'écran un énorme gallinacé tout rouge qui van**t**ait la qualité des p**â**tes aux œufs. Publicité oblige !

Commentaires :
• **excités**, mis en apposition à **jeunes téléspectateurs**, s'accorde au masculin pluriel.

- **psychédélique** se prononce **[psiké-]** et s'écrit avec deux *é*.
- **décibels** : de *déci*, « dix », et *bel*, qui exprime le rapport des valeurs de deux puissances. Il s'agit d'un nom masculin ici au pluriel, donc **assourdissants**.
- **clip**, mot anglais qui signifie « extrait ».
- **téléspectateur** prend 2 *é* (mais **télescope**, un seul).
- **gallinacé** prend deux *l*.
- **vantait**, de **vanter** (louer), ne doit pas être confondu avec **venter** (faire du vent).
- **pâtes** (aliment) ne sera pas confondu avec **pattes** (membres).

# *Tests 1991*

**1.** Débusquez la lettre superflue dans la liste de mots suivante :

courbattu
corrail
intervalle
coyotte
trappu
pillule
mascotte
trappiste

**2.** Ne retenez que les couples de mots synonymes bien écrits :

☐ démentiel    fou
☐ calme       serin

☐ blême      pal
☐ archaïque   vétuste
☐ intelligent   censé
☐ religieux    pieu

**3.** Quel est le vrai, quel est le faux ?    **vrai**      **faux**

| | vrai | faux |
|---|---|---|
| Illusionniste s'écrit avec deux *n*. | ☐ | ☐ |
| Yo-Yo prend un *s* au pluriel. | ☐ | ☐ |
| Les notes de musique *do*, *ré*, *mi* sont des noms communs. | ☐ | ☐ |
| Le mot « hippocampe » est bien orthographié. | ☐ | ☐ |
| Lycée, génie, musée et apogée sont tous du genre masculin. | ☐ | ☐ |
| L'adjectif de couleur « crème » est toujours invariable. | ☐ | ☐ |
| Les mots suivants sont trois noms d'animaux : « lait », « jarre », « canne ». | ☐ | ☐ |
| On doit écrire : « noir comme du jais ». | ☐ | ☐ |

**4.** Parmi ces homonymes, relevez les mots qui n'existent pas en français :

☐ verre    ☐ ère    ☐ port    ☐ pair
☐ ver     ☐ air    ☐ peaure   ☐ paire
☐ vert    ☐ aire   ☐ pore    ☐ pert

☐ vers ☐ ers ☐ pors ☐ père
☐ vair ☐ hère ☐ porc ☐ peire

**5.** Dans le texte suivant, retrouvez et comptez les fautes (voir modalités p. 14)...

« Dis, fais-moi une dictée, soupirait une candidate en herbe.

– D'accord, répondit-il. Alors, vas chercher un de tes feutres oranges, saisies-toi d'une feuille de papier grège. Mais soyons précis. Tu écriras au fur et à mesure que sera lu la dictée. Prend ta plume, et allons-y. »

Ainsi fût fait. Au jeu de la dictée, d'amblée, la candidate tètue s'était mis à épeller les mots. Les voyelles avaient virvolté, les consonnes s'étaient entrechoquées et les pièges s'étaient succédés sans qu'il parut y avoir un quelconcque danger.

« Point final !

– Ouf ! mais combien de fautes ai-je dont fait ? »

# _Réponses 1991_

**1.** Il faut écrire : **courbatu** (un seul _t_, bien que ce mot appartienne à la famille de **battre**) ; **corail** ; **coyote** ; **trapu** (ne pas confondre avec l'orthographe de **trappiste**) ; **pilule** (deux _l_ en tout) ; **trappiste** (mot venant de la Trappe, fameuse abbaye de l'ordre de Cîteaux).

**2.** **Fou** est le synonyme correctement orthographié de **démentiel**, et **vétuste**, celui d'**archaïque**. En revanche, **calme** est synonyme de **serein**, et non de **serin** (oiseau), **blême** est synonyme de **pâle**, et non de **pal**, (pieu aiguisé, plantoir), **intelligent** est synonyme de **sensé**, et non de **censé** (supposé), et enfin **religieux** est synonyme de **pieux** et non de **pieu** (pièce de bois ou de métal pointue).

**3.** Ce qui est vrai : **illusionniste** ; les notes de musique *do, ré, mi* ; **hippocampe** ; **lycée, génie, musée** et **apogée** sont tous du genre masculin (on dit en effet **un** apogée) ; **crème** est toujours invariable (car il s'agit d'un adjectif de couleur formé à partir d'un nom commun, mais il existe des exceptions) ; **noir comme du jais** (le jais est une pierre d'un noir luisant).

En revanche, le mot **Yo-Yo** (nom déposé, qui dans *le Petit Robert 1* s'écrit sans majuscules) reste invariable, et les trois noms réels d'animaux sont **laie** (femelle du sanglier), **jars** (mâle de l'oie) et **cane** (femelle du canard).

**4. Peaure, pors, peire** et **pert** n'existent pas en français.

**5.** Voici le texte corrigé, dans lequel il fallait trouver **18** fautes :

« Dis, fais-moi une dictée, soupirait une candidate en herbe.

– D'accord, répondit-il. Alors, **va** chercher un de tes feutres orang**e,** sais**is**-toi d'une feuille de papier grège. Mais so**y**ons précis. Tu écriras au fur et à mesure que sera lu**e** la dictée. Prend**s** ta plume, et allons-y. »

Ainsi fut fait. Au jeu de la dictée, d'emblée, la candidate têtue s'était mise à épeler les mots. Les voyelles avaient virevolté, les consonnes s'étaient entrechoquées et les pièges s'étaient succédé sans qu'il parût y avoir un quelconque danger.

« Point final !

– Ouf ! mais combien de fautes ai-je donc faites ? »

Commentaires :

• **Va** : le verbe **aller** à l'impératif présent ne prend pas de *s*, sauf, par exception, dans **vas-y**.

• **orange** : il s'agit d'un adjectif de couleur formé à partir d'un nom commun, donc invariable (sauf exceptions, comme **rose, mauve, fauve**).

• **saisir** (verbe du deuxième groupe), à l'impératif présent, ne prend pas de *e* entre le *i* et le *s* : **saisis-toi**.

• **grège** prend un accent grave.

• **soyons** : le verbe **être** à l'impératif présent (pas de *i* après le *y*).

• **lue** : participe passé qui s'accorde avec le sujet inversé **la dictée.**

• **prends** : le verbe **prendre** à l'impératif présent.

• **fut** n'a pas d'accent sur le *u*, car il s'agit du passé simple de l'indicatif du verbe être.

• **d'emblée** s'écrit avec un *e-*, ne pas confondre avec le verbe **ambler** (aller l'amble, pour certains animaux).

• **têtue** vient du mot **tête**, donc prend un accent circonflexe sur le *e*.

• **mise** : le participe passé du verbe accidentellement pronominal **se mettre à**. La candidate avait mis qui ? **s'**, employé pour **elle-même**, à épeler les mots. Le complément d'objet direct est placé avant le verbe, donc le participe passé s'accorde.

• **épeler** ne prend qu'un *l*, comme **appeler**.

• **virevolté** prend un *e* intercalé.

• **succédé** est le participe passé du verbe accidentellement pronominal **se succéder**. Comme le verbe **succéder** est transitif indirect, il n'a jamais de complément d'objet direct (on succède **à** quelqu'un), donc il y a invariabilité du participe.

• **sans que** : après cette locution conjonctive de restriction, le verbe se met au subjonctif, ici imparfait : **parût**.

• **quelconque** n'a pas de *c* avant le second *q* (ne pas confondre avec une forme d'un vieil adverbe, **oncques**, signifiant « jamais »).

• **donc** : cette conjonction de coordination ne doit pas être confondue avec son homonyme **dont**, pronom relatif.

• **faites**, participe passé, employé avec l'auxiliaire **avoir**, s'accorde avec le complément d'objet direct **fautes**, placé avant.

# Tests 1993

**1.** Dans le texte suivant, retrouvez et comptez les fautes (voir modalités p. 13)...

Rien n'est plus délisieux que d'écouter, avec des amis qui partagent les mêmes gouts musicaux, du rock, de la grande musique ou de vieilles chansons françaises dont la mélodie, loin d'être démodé, apparaît au contraire fraiche et novatrice. D'ailleurs certains groupes se sont employé à rechercher dans notre patrimoine sonore les ères, les refrains, qui, réenregistrées, deviendront des tubes.

**2.** Avec deux des mots suivants, vous partez gaiement en promenade ! Un autre ne vous y emmène pas : lequel ?

☐ ballade
☐ excursion
☐ randonnée

**3.** De l'argot au français : reformez les paires !

| | |
|---|---|
| les gigots | les yeux |
| les châsses | les oreilles |
| les esgourdes | les jambes |
| les arpions | les mains |
| les patoches | les pieds |

**4.** Dans lequel de ces quatre mots l'accent grave doit-il être remplacé par un accent circonflexe ?

☐ plèvre
☐ trève
☐ brève
☐ crème

**5.** Vous êtes ingambe... Alors, laquelle des trois propositions suivantes vous convient ?

☐ Je peux marcher d'un bon pas.
☐ Les déplacements me sont rendus difficiles.
☐ J'ai été amputé d'une jambe.

**6.** Quel est le bon accord ?

Nombre de visiteurs...
☐ ont contemplé la nouvelle statue.
☐ a contemplé la nouvelle statue.

**7.** Des deux mots ci-dessous, l'un doit venir compléter cette phrase :

Pendant l'ère ... intervint la séparation de l'Afrique et de l'Asie.
☐ glaciaire
☐ glacière

**8.** Si Jeanne d'Arc n'avait pas entendu des voix, mais avait reçu un message écrit, quelle en serait – aujourd'hui ! – la bonne graphie ?

☐ Jeanne, vas délivrer Orléans ! Va-z-y !
☐ Jeanne, va délivrer Orléans ! Va-s-y !
☐ Jeanne, va délivrer Orléans ! Vas-y !
☐ Jeanne, vas délivrer Orléans ! Vas-y !

# Réponses 1993

**1.** Voici le texte corrigé, dans lequel il fallait trouver **7** fautes :

Rien n'est plus délicieux que d'écouter, avec des amis qui partagent les mêmes goûts musicaux, du rock, de la grande musique ou de vieilles chansons françaises dont la mélodie, loin d'être démodé**e,** apparaît au contraire fraîche et novatrice. D'ailleurs certains groupes se sont employé**s** à rechercher dans notre patrimoine sonore les **airs,** les refrains, qui, réenregistr**és,** deviendront des tubes.

Commentaires :
• **délicieux**, formé sur **délice**, s'écrit avec un *c*.

• **goûts** prend un accent circonflexe sur le *u*, comme dans **goûter, dégoûtant**...

• **démodée**, participe passé employé comme adjectif, s'accorde avec le mot **mélodie**, féminin singulier, auquel il se rapporte.

• **fraîche** prend un accent circonflexe sur le *i*, comme dans **fraîchement, fraîcheur, fraîchir**... et dans **la fraîche**, moment du jour où il fait frais.

• **employés**, participe passé d'un verbe accidentellement pronominal, s'accorde avec le complément d'objet direct **se**, placé avant et mis pour **certains groupes** : l'accord se fait donc au masculin pluriel.

• **airs** (mélodies) ne doit pas être confondu avec l'homonyme **ères** (périodes, époques).

• **réenregistrés**, participe passé employé comme adjectif, mis en apposition à **airs** et **refrains** : l'accord se fait donc au masculin pluriel.

**2. Ballade**. Il s'agit d'un poème ou d'une chanson, homonyme de **balade** (promenade).

**3.** Les **gigots** : les cuisses de mouton sont devenues en argot, par analogie et glissement sémantique, les **jambes** (ou les **cuisses**) d'une personne.
Les **châsses** : en français courant, une châsse est un coffre où l'on conserve les reliques d'un saint, ou une

monture servant d'encadrement. En argot, ce mot féminin désigne, au pluriel, les **yeux**.

Les **esgourdes** : mot d'origine obscure, dont le seul sens attesté est « **oreilles** », en argot.

Les **arpions** : d'origine provençale (*arpioun*, « petite griffe »), le mot **arpion** a d'abord désigné la main (1821), puis le **pied** (1827).

Les **patoches** : dérivé de **patte**, le terme **patoche** signifie « **grosse main** », ou « **main** ».

**4.** C'est **trêve** qui comporte un accent circonflexe (en revanche, le nom francisé de la ville allemande de Trier s'écrit **Trèves**, avec un accent grave).

**5.** **Ingambe** vient de l'italien *in gamba* (« en jambe ») et signifie « alerte », c'est donc la première proposition qui est correcte.

**6.** Nombre de visiteurs **ont** contemplé... Avec **nombre de**, l'accord se fait obligatoirement au pluriel.

**7.** **Glaciaire** est un adjectif, alors que **glacière** est un nom féminin. Il fallait choisir l'adjectif.

**8.** La troisième phrase est la bonne. L'impératif du verbe **aller** à la deuxième personne du singulier, **va**, prend exceptionnellement un *s* devant le pronom adverbial *y* non suivi d'un infinitif. On écrit donc **vas-y**, pour raison d'euphonie, pour éviter le choc désagréable de deux sons voyelles *a* et *i*. Mais on écrit : **Va y regarder de près,** *y* étant suivi d'un infinitif, complément de **regarder** et non de **va.**

# *Tests 1994*

**1.** Dans le texte suivant, retrouvez et comptez les fautes (voir modalités p. 13)...

Qu'un cyclone se lève ou qu'une canicule s'abatte, l'adepte du VTT a une pêche d'enfer. Rien ne serait l'arrêter. Le fasciès comprimé sous un casque anti-chocs, il enfourche son vélo, et hop ! le voilà dans les sous-bois. Il évite en zigzagant des nids-de-poules, roule en cahottant sur des sentiers bosselés et s'éclate dans les clairières. Infatiguable, il dévalle des pentes verglassées, puis, son parcours du combattant achevé, il met pieds à terre, flappi, crotté, courbatu, mais content.

**2.** Dans un roman picaresque, on est assuré de trouver :

☐ un aventurier d'origine populaire
☐ un Picard expatrié
☐ un gentilhomme attaché à son domaine

**3.** Tous ces verbes s'emploient pour désigner le cri du hibou, sauf un. Lequel ?

☐ hululer    ☐ ululer    ☐ hurler
☐ huer    ☐ boubouler

**4.** Quel est le mot mal écrit ?

☐ poulailler ☐ quincailler ☐ groseillier

**5.** Derrière le mot « perchiste » se cachent des métiers très différents.
Quel est le domaine dans lequel un perchiste n'intervient pas ?

☐ le ski          ☐ la natation
☐ le cinéma       ☐ le saut à la perche

**6.** Lequel de ces mots ne fait pas son pluriel en *-als* ?

☐ narval          ☐ mistral
☐ sisal           ☐ cérémonial
☐ piédestal

**7.** Cette armée ne peut pas subir de défaite... Elle est :

☐ invaincue ☐ invincible

**8.** Le sportsman est :

☐ un athlète complet
☐ un fabricant de chaussures de sport
☐ un amateur de courses de chevaux

**9.** Dans le texte suivant, retrouvez et comptez les fautes (voir modalités p. 13)...

Elle s'est senti toute fière de me montrer les objets hétèroclites qu'elle collectionait : une flèche indienne, deux planisphères jaunies du XVIIIᵉ siècle, des colléoptéres aux élytres boursouflées de couleur crême, une halebarde moyenageuse enfermée dans un meuble décrépi. Elle s'est plue à me démonter un vieux révolver et s'est rendue compte de mon intéret pour tout cela.

# Réponses 1994

**1.** Voici le texte corrigé, dans lequel il fallait trouver **11** fautes. Il fallait écrire :

Qu'un cyclone se lève ou qu'une canicule s'abatte, l'adepte du VTT a une pêche d'enfer. Rien ne **s**aurait l'arrêter. Le fa**c**iès comprimé sous un casque anti-cho**c**, il enfourche son vélo, et hop ! le voilà dans les sous-bois. Il évite en zigzagu**a**nt des nids-de-poul**e**, roule en caho**t**ant sur des sentiers bosselés et s'éclate dans les clairières. Infati**g**able, il déval**e** des pentes verglacées, puis, son parcours du combattant achevé, il met pie**d** à terre, fla**p**i, crotté, courbatu, mais content.

Commentaires :

• **saurait** : il s'agit ici du verbe **savoir** conjugué au conditionnel présent (troisième personne du singulier) et non du verbe être.

• **faciès** : ce mot latin (aujourd'hui francisé par l'ajout d'un accent grave sur le *e*) signifie « face ». Dans la langue courante, il désigne la face, l'expression du visage, la physionomie. La dernière édition du *Petit Robert 1* admet également la forme **facies**, sans accent.

• **antichoc** : adjectif formé du préfixe *anti-*, contre, et du substantif **choc**. Malgré le sens (contre les chocs), cet adjectif au singulier ne prend pas de *s* final.

• **en zigzaguant** est le gérondif du verbe **zigzaguer**, forme verbale avec ajout de *-ant* au radical *zigzagu-*. Ne pas confondre avec l'adjectif verbal **zigzagant**, **zigzagante** (sans *u* au radical).

• **nids-de-poule** : dans un nom composé d'un nom et de son complément (introduit ou non par une préposition), généralement seul le premier nom prend la marque du pluriel.

• **en cahotant** : le verbe **cahoter** ne prend qu'un seul *t* (comme un certain nombre de verbes en *-oter* : **bachoter**, **papilloter**, etc., et contrairement à **frisotter**, **ballotter**, etc., qui s'écrivent avec deux *t*).

- **infatigable** : quoique formé à partir du verbe **fatiguer**, cet adjectif ne prend pas de *u* après le *g*.
- **dévale** : il s'agit de la forme conjuguée du verbe **dévaler** à l'indicatif présent, troisième personne du singulier. Ce verbe ne prend qu'un seul *l* à l'infinitif, comme dans ses formes conjuguées.
- **verglacées** : alors que **verglas** se termine par un *s*, l'adjectif qui en est issu prend un *c*.
- **pied à terre** : dans cette expression, qui ne prend pas de trait d'union, **pied** est au singulier (on met **le** pied à terre).
- **flapi** : terme familier signifiant « abattu, fatigué », qui viendrait d'un verbe lyonnais, **flapir** (flétrir).

**2.** Le nom commun espagnol *picaro* (aventurier) est à l'origine de **picaresque**. La littérature picaresque est celle qui fait de ce **héros issu du peuple** son personnage central. Par extension malveillante, le terme alla jadis jusqu'à désigner un intrigant sans foi ni loi.

**3.** **Hululer/ululer** (deux orthographes), **huer, boubouler** s'emploient tous pour désigner le cri du hibou ; **hurler** ne s'emploie qu'à propos du chien ou du loup (le **hurlement** est un cri aigu et prolongé).

**4.** **Quincaillier** s'écrit avec un *i* à la dernière syllabe, comme **groseillier**.

**5.** Le mot **perchiste** désigne un **employé de téléski** qui tend la perche aux skieurs pour remonter les pentes ; un **technicien de la radio**, du cinéma ou de la télévision chargé du maniement de la perche à son (attention : l'équivalent anglais *perchman* est désormais proscrit) ; un **athlète** spécialiste du saut à la perche (ou « sauteur à la perche »). Mais un **perchiste** n'a pas de rapport avec la natation.

**6.** Les noms communs terminés en *-al* font généralement leur pluriel en *-aux*. Il existe une trentaine d'exceptions qui font leur pluriel en *-als*, dont quatre étaient ici proposées : des **narvals**, des **sisals**, des **mistrals**, des **cérémonials**. Seul **piédestal** suivait la règle générale : des **piédestaux**.

**7. Invincible.** Une armée **invaincue**, si elle n'a pas encore subi de défaite à ce jour, peut être mise en échec un jour ou l'autre. Est réputé **invincible** ce qui ne peut jamais être réfuté... ou ce qui ne peut jamais être vaincu.

**8.** D'origine anglaise (1823), le mot **sportsman** signifiait « amateur de courses de chevaux, parieur ». Il désignait aussi autrefois un amateur de sport ou une personne qui s'occupait de sport. Encore donné en 1994 comme synonyme d'un autre mot, **turfiste**

(formé lui-même sur l'anglais *turf,* « pelouse »), ce mot ne figure plus aujourd'hui dans nos diction-naires de référence. Féminin : **sportswoman**. Pluriel : **sportsmans** ou **sportsmen**.

**9.** Voici le texte corrigé, dans lequel il fallait trouver **15** fautes :

Elle s'est sentie toute fière de me montrer les objets hétéroclites qu'elle collectio**nn**ait : une fl**è**che indienne, deux planisphères jaun**is** du XVIII^e siècle, des coléoptères aux élytres boursoufl**és** de couleur crème, une hallebarde moyen**â**geuse enfermée dans un meuble décrépi**t**. Elle s'est pl**u** à me démonter un vieux re**v**olver et s'est rend**u** compte de mon intér**ê**t pour tout cela.

Commentaires :
• **sentie** : participe passé d'un verbe transitif direct employé pronominalement, s'accorde avec le pro-nom **s'**, mis pour **elle**, complément d'objet direct.
• **hétéroclites** (du latin *heteroclitus*, issu du grec *heteros*, « autre », et du verbe *klinein*, « fléchir ») signifie « qui est composé d'éléments variés » et est syno-nyme de **mélangé**, **disparate**, **composite**, **varié**.
• **collectionnait** : il s'agit du verbe **collectionner**, dérivé du substantif **collection** et qui, comme de très

nombreux verbes ainsi formés, s'écrit avec deux *n* : **mentionner, solutionner, passionner**, etc.

• **flèche** : attention à l'accent grave sur le *e* (la première syllabe porte l'accent tonique et celle qui suit est muette) comme dans **mèche**, par exemple. En revanche, dans le verbe **flécher**, la seconde syllabe porte l'accent tonique et entraîne l'accent aigu sur le premier *e*.

• **jaunis** : cet adjectif s'accorde avec **planisphères**, substantif du genre masculin.

• **coléoptères** (du grec *koleopteros*, de *koleos*, « étui », et *pteron*, « aile ») : l'ordre des coléoptères regroupe des insectes dont les élytres, au repos, recouvrent les ailes postérieures, à la façon d'un étui. Le hanneton est un coléoptère.

• **boursouflés** : ce mot, bien qu'étant formé à partir du verbe **souffler**, ne prend qu'un seul *f* comme ses dérivés : **boursouflement, boursouflure, boursouflage**.

• **crème** prend toujours un accent grave sur le *e* de la première syllabe car celle qui suit est non accentuée dans l'intonation. En revanche, dans les mots de la même famille (**crémerie, crémier, crémeux**), il faut un accent aigu sur le premier *e* car la syllabe qui suit à chaque fois porte l'accent tonique.

• **hallebarde** : attention : deux *l*, tout comme **halle-**

bardier. Une hallebarde est une arme ancienne à long manche, à fer pointu et tranchant.

• **moyenâgeuse** : cet adjectif est formé à partir de Moyen Âge, d'où l'accent circonflexe qui a été conservé sur le *a*.

• **décrépit** : se termine, ici, par un *t* et a le sens de « dégradé par le temps ». Ne pas confondre avec l'homonyme **décrépi** (« qui a perdu son crépi »).

• **elle s'est plu** : **plaire** est un verbe transitif indirect (c'est-à-dire qui ne peut avoir de complément d'objet direct) employé pronominalement : elle a plu **à** elle-même (participe passé toujours invariable).

• **revolver** a conservé sa graphie anglaise, sans accent.

• **elle s'est rendu compte** : elle a rendu compte à elle-même (pas d'accord).

• **intérêt** : ce mot vient du latin *interest*, qui signifie « il importe ». Le *s* s'est transformé en un accent circonflexe sur le *e*, sur le même modèle que l'ancien français *forest*, qui a donné **forêt**.

# Tests 1995

**1.** Dans le texte suivant, retrouvez et comptez les fautes (voir modalités p. 13)...

## Le robot aux yeux bleus

Rien de vraiement très appaisant au cours de cet épisode de science-fiction dans lequel l'action atteignait maintenant le paroxysme de l'affollement : on n'y voyait un robot impressionnant, tout de métal carapaçonné, avec des yeux bleu acier fixe et un visage lisse de mutang, se diriger vers d'autres robots semblables à des pylones plantés la devant le ciel, énormes masses enchevètrées de fil de fer, qu'il abattait bruyeamment un à un, tel un rouleau-compresseur que rien ne pouvait arrêter.

**2.** Parmi ces noms de couleurs, lequel est également un nom de coquillage ?

☐ l'indigo
☐ le violet
☐ l'outremer

**3.** Lequel de ces mots d'origine anglaise ne désigne pas un bateau ?

☐ dinghy
☐ brick
☐ destroyer
☐ paddy

**4.** Comment traduisez-vous l'expression suivante : « Ils arrivèrent entre chien et loup » ?

☐ à l'aube
☐ alors que les discussions étaient orageuses
☐ à la tombée de la nuit

**5.** Un discothécaire est-il :

☐ le propriétaire d'un établissement où l'on écoute des disques
☐ une personne chargée du prêt de disques
☐ un meuble contenant une collection de disques

**6.** Lequel de ces mots ne désigne pas un corvidé ?

☐ cornac
☐ freux
☐ choucas

**7.** Le pays de cocagne, tel qu'il est dépeint dans les fabliaux du Moyen Âge, est un pays...

☐ où chacun a de tout en abondance
☐ dont les routes et chemins n'aboutissent nulle part
☐ désert, où rien ne pousse

**8.** Laquelle de ces deux phrases est illogique ?

☐ Les trois occupants de la pirogue pagayaient ferme sur l'atoll.

☐ Les trois occupants de la pirogue pagayaient ferme sur le lagon.

**9.** Dans un texte, que signifie le mot « *sic* » ?

☐ voir page suivante
☐ cité textuellement
☐ en aparté

**10.** Dans le texte suivant, retrouvez et comptez les fautes (voir modalités p. 13)...

**L'homme volant**

Dîtes-moi, êtes-vous l'un des fervants amateurs de ce sport qui semblent vous donnez des ailes et vous garantit une sensation de liberté inouïes ? Si oui, vous êtes cet homme volant, adepte du para-pente, activité qui plait tant aujourd'hui. Harnaché de pied en cape, surmonté d'un parachute, vous prenez votre envol d'un terrain pantu, avant d'être happés par les ères, à l'instart du cerf-volant, et vous réalisez l'un des rêves les plus chairs de l'homme : voler.

# Réponses 1995

**1.** Voici le texte corrigé, dans lequel il fallait trouver **12** fautes :

Rien de vraiment très apaisant au cours de cet épisode de science-fiction dans lequel l'action atteignait maintenant le paroxysme de l'affolement : on **y** voyait un robot impressionnant, tout de métal caparaçonné, avec des yeux bleu acier fixes et un visage lisse de mutant, se diriger vers d'autres robots semblables à des pylônes plantés **là** devant le ciel, énormes masses enchevêtrées de fil de fer, qu'il abattait bruyamment un à un, tel un rouleau compresseur que rien ne pouvait arrêter.

Commentaires :

• **vraiment** : cet adverbe de manière est formé de l'adjectif **vrai** (au masculin) auquel on ajoute le suffixe *-ment*, qui sert à former de nombreux adverbes de manière. Attention : **gaiement**, en revanche, s'écrit avec le *e* intercalé (ou encore, forme vieillie, **gaîment**).

• **apaisant** : les mots commençant par *ap-* prennent en général deux *p*. Au nombre des exceptions : **apéritif, apercevoir, apeurer, apurer, apaiser**...

• **affolement** : ce nom appartient, certes, à la famille de **fou, folle**, mais ne prend qu'un *l*, comme **folie, affoler** (il **affole**)...

• **on y voyait** : la phrase n'est pas à la forme négative.

• **caparaçonné** : il s'agit là d'une erreur très courante, sans doute par attraction avec le mot **carapace**. Un cheval caparaçonné est couvert d'un **caparaçon** (housse de cérémonie ou de protection).

• **fixes** : si l'adjectif de couleur composé **bleu acier** demeure invariable, en revanche, l'adjectif **fixes**, épithète du nom **yeux**, s'accorde au masculin pluriel.

• **mutant** : ce nom est formé à partir du participe présent du verbe **muter**, comme un **battant** (de **battre**), un **combattant** (de **combattre**), un **gagnant** (de **gagner**).

• **pylônes** : attention à l'accent sur le *o* de certains substantifs : **pylône, symptôme**, etc. Mais **syndrome, cyclone**, par exemple, n'en prennent pas.

- **là** : cet adverbe de lieu prend un accent grave sur le *a*.
- **enchevêtrées** : un accent circonflexe sur le troisième *e*. Ce mot est formé à partir de **chevêtre**, jadis *chevestre* : le *s* s'est transformé (comme pour *forest*, **forêt**) en accent circonflexe.
- **bruyamment** : cet adverbe, dérivé de l'adjectif **bruyant**, garde le *a* d'origine ; de même, **vaillamment**, formé à partir de **vaillant**, ou **étonnamment**, à partir d'**étonnant.**
- **rouleau compresseur** : pas de trait d'union à ce nom composé d'un substantif et d'un adjectif qualificatif.

**2.** Le **violet** est un coquillage violet de la Méditerranée appelé aussi « figue de mer ».

**3.** Il s'agit de **paddy**, un mot issu de l'anglais, mais qui désigne du riz non décortiqué. **Dinghy** désigne un canot pneumatique ou un petit bateau de plaisance ; **brick**, un voilier à deux mâts ; **destroyer**, un bâtiment de guerre.

**4.** Quand **le soir tombe**, on n'arrive plus à faire la différence entre un chien et un loup ; on est **entre chien et loup.**

**5.** Un(e) **discothécaire** est une personne chargée du fonctionnement d'une discothèque, organisme de prêt de disques. Le mot date de 1951. Attention : la **discothèque** désigne également un meuble où l'on range des disques, la collection de disques elle-même, ou encore un lieu où l'on danse au son de musiques enregistrées (synonymes : **boîte**, **night-club**).

**6.** Par **corvidés**, on désigne la famille d'oiseaux comprenant, entre autres, les corbeaux, les pies, les geais. Le **freux** et le **choucas** appartiennent également à cette famille. Un **cornac** est la personne qui guide et soigne les éléphants, ou, par extension, un guide.

**7.** C'est un pays où **chacun a de tout en abondance**. L'origine du mot **cocagne** est mal connue. Peut-être le mot vient-il du Midi ou bien d'Italie...

**8.** Des marins ou des pêcheurs peuvent effectivement naviguer sur un **lagon**, c'est-à-dire sur l'étendue d'eau enserrée par des récifs coralliens, ces récifs formant, eux, les îles qu'on appelle des **atolls**... On ne peut donc pas plus pagayer sur un atoll que sur la place de la Concorde !

**9.** Mot latin, *sic* (« ainsi ») signifie « cité textuellement ». On le place entre parenthèses dans un texte, après un mot ou un groupe de mots, pour signaler au lecteur que l'on cite textuellement, même si le sens – ou l'orthographe – peut paraître étrange ou étonnant.

**10.** Voici le texte corrigé, dans lequel il fallait trouver **13** fautes :

## L'homme volant.

Dites-moi, êtes-vous l'un des fervents amateurs de ce sport qui semble vous donner des ailes et vous garantit une sensation de liberté inouïe ? Si oui, vous êtes cet homme volant, adepte du parapente, activité qui plaît tant aujourd'hui. Harnaché de pied en ca**p,** surmonté d'un parachute, vous prenez votre envol d'un terrain pentu, avant d'être happé par les **airs,** à l'instar du cerf-volant, et vous réalisez l'un des rêves les plus chers de l'homme : voler.

Commentaires :

• **dites-moi** : le verbe **dire** à la deuxième personne du pluriel de l'impératif présent (pas plus qu'au présent de l'indicatif) ne prend pas d'accent circonflexe sur le *i*, contrairement à la forme du passé simple **vous dîtes.**

• **fervents** : comme **innocent, intelligent, dément,** cet adjectif a une finale en *-ent*.

• **semble** : ce verbe s'accorde avec le pronom relatif sujet **qui,** ayant pour antécédent **ce sport** ; il reste donc au singulier.

• **donner** est le verbe d'une proposition infinitive. On pourrait dire « qui semble vous fournir des ailes ».

- **inouïe** : cet adjectif, épithète de **sensation de liberté**, s'accorde au féminin singulier.
- **parapente** : ce mot récent (1983), formé de *para-* (chute) et du substantif **pente**, s'écrit en un seul mot.
- **plaît** : le verbe **plaire**, comme **complaire** et **déplaire**, prend un accent circonflexe sur le *i* à la troisième personne du singulier de l'indicatif présent.
- **de pied en cap** : cette locution est formée de deux substantifs : **pied** et **cap**, et signifie « des pieds à la tête ». **Cap**, du latin *caput*, signifie « tête ». Ne pas confondre avec l'homonyme **cape**, nom féminin (vêtement).
- **pentu** : cet adjectif, dérivé de **pente**, s'écrit avec un *e*.
- **happé** : attribut du sujet **vous**, qui désigne une seule personne, s'accorde donc au singulier.
- **airs** : ne pas confondre les **airs** (l'espace) avec les **ères** (époques, espaces de temps) ou les **aires** (terrains, surfaces).
- **à l'instar de** : locution prépositive, adaptée de la locution latine *ad instar* (de *instar*, « valeur égale »), qui signifie « à l'exemple de, de même que ».
- **chers** : l'adjectif **cher** a ici le sens figuré de « précieux ». Ne pas confondre avec l'homonyme **chair** (tissu musculaire du corps).

# *Tests 1996*

**1.** Dans le texte suivant, retrouvez et comptez les fautes (voir modalités p. 13)...

**L'informatique : un jeu d'enfant !**

Quand ils auront cliqué, tapotés à qui mieux-mieux sur le clavier, les jeunes enfants seront fins près à naviguer sur les autoroutes de l'information ! Sur les ordinateurs, ils visionnent aujourd'hui en trois quart de secondes l'univers fabuleux des connaissances et font jouer à fonds l'interactivité. Au-revoir, les poupées et les ours ! Leurs nouveaux jouets ? les CD-ROMS, les logiciels, les jeux vidéos. Ils voyagent ainsi dans le temps et dans l'espace, jouent, s'estasient sur l'hypertexte et l'hypermedia, cherchent,

inventent, créent, scanent, formattent des disquettes...
Dur, de les décrocher de là !

**2.** Où est la faute d'accord ?

☐ Elle s'est coupée au doigt.
☐ Elle s'est coupée du monde.
☐ Elle s'est coupée le doigt.

**3.** Qui utilise couramment le nom « en-avant » ?

☐ un rugbyman
☐ un dentiste
☐ un modéliste

**4.** Lequel de ces animaux trompette quand il pousse son cri ?

☐ l'aigle
☐ la fouine
☐ le canard
☐ le renard

**5.** Combien d'erreurs orthographiques cette phrase contient-elle ?

« Hier, il flanait sans cesse ; aujourd'hui, pantouf-flard, il n'éprouve plus aucun intérêts pour quoi que ce soit. »

**6.** *« Un quart d'heure avant sa mort, il était encore en vie. »* Cette lapalissade est une vérité de...

☐ La Palisse
☐ Lapalisse
☐ La Palice

**7.** Lequel de ces mots est mal orthographié ?

☐ larynx
☐ lynx
☐ pharynx
☐ sphynx

**8.** Héros d'un conte de Perrault, Riquet a une :

☐ houppe
☐ huppe

**9.** Quelles sont les phrases mal orthographiées ?

☐ Quelques célèbres qu'ils soient, ils devront se plier au règlement.

☐ Quelques compliments que vous receviez, gardez la tête froide.

☐ Quelque vingt élèves sur vingt-cinq ont obtenu la moyenne.

☐ Quelque soient vos conclusions, prévenez-moi.

**10.** Dans le texte suivant, retrouvez et comptez les fautes (voir modalités p. 13)...

**Le clown**

Le connaissez-vous ? Le nez rouge comme une écrevisse, grimmé et pomadé à souhaits, l'allure déguingandée de surcroit, il s'avance sur la piste, vêtu d'une veste tape-à-l'œil en paillettes multicolores, à manches trois-quarts, et d'un pantalon bouffant pour mieux faire le boufon. Après plusieurs pîtreries, le voila qui boulote une assiette de pâtes qui n'en finissent pas de glisser sur sa fourchette et de l'exaspérer. Il sale et ressale son met, ressasse des jurons, gesticule, puis bientôt envoie son assiette au diable, avant de redevenir placide comme l'est un gil, devant le public qui s'esclafe, rit et applaudit sous le châpiteau.

# *Réponses 1996*

**1.** Voici le texte corrigé, dans lequel il fallait trouver **14** fautes :

**L'informatique : un jeu d'enfant !**
Quand ils auront cliqué, tapot**é** à qui mieu**x** **m**ieux
sur le clavier, les jeunes enfants seront **fin** prê**t**s à
naviguer sur les autoroutes de l'information ! Sur les
ordinateurs, ils visionnent aujourd'hui en trois quart**s**
de second**e** l'univers fabuleux des connaissances et
font jouer à fon**d** l'interactivité. **A**u **r**evoir, les poupées et les ours ! Leurs nouveaux jouets ? Les CD-
ROM, les logiciels, les jeux vidé**o**. Ils voyagent ainsi
dans le temps et dans l'espace, jouent, s'**e**xtasient sur
l'hypertexte et l'hypermé**d**ia, cherchent, inventent,

créent, scannent, formatent des disquettes... Dur, de les décrocher de là !

Commentaires :

• **tapoté** : participe passé du verbe **tapoter** conjugué au futur antérieur, employé avec l'auxiliaire **avoir** ; il n'y a pas de complément d'objet direct placé avant, donc ce participe passé demeure invariable.

• **à qui mieux mieux** : cette expression signifiant « à qui fera mieux » ne prend pas de trait d'union.

• **fin prêts** : ici, **fin** est employé adverbialement, donc est invariable, et signifie « complètement, tout à fait ». **Prêts (à)** est un adjectif qui signifie « préparés ». Il ne fallait pas le confondre avec son homonyme **près (de)**.

• **trois quarts de seconde** : **trois** est adjectif numéral, placé devant le substantif **quart**, qu'il multiplie, celui-ci, donc, prend la marque du pluriel. S'agissant des **trois quarts** d'une unité, **seconde** demeure invariable.

• **à fond** : locution adverbiale signifiant « entièrement ». **Fond** ne prend pas de s final, contrairement à son homonyme **fonds** (capital).

• **au revoir** : cette locution ne prend pas de trait d'union.

• **CD-ROM** : ce sigle, devenu nom masculin, est

invariable. L'autre graphie, **cédérom**, prend en revanche la marque du pluriel.

• **vidéo** : adjectif invariable : le mot s'accorde quand il est substantif : des **vidéos**. Vient de l'anglais *video*, lui-même du latin *video*, « je vois ».

• **s'extasient** : **s'extasier** vient d'**extase** et signifie « se pâmer, s'émerveiller ».

• **hypermédia** : mot récent de l'informatique formé du préfixe *hyper-*, « au-dessus, au-delà », et de **média**. Au sein d'un système multimédia, il s'agit de la possibilité de naviguer dans d'autres médias que le texte.

• **scannent** : mot formé à partir du verbe anglais *to scan*, « scruter, explorer ». **Scanner**, qui prend deux *n*, c'est explorer un support par balayage en vue d'obtenir une image.

• **formatent** : ne prend qu'un *t*. Vient de **format**, d'après l'anglais *to format*. **Formater** signifie « donner un format (structure) » à un support de données.

**2.** La troisième phrase est fautive. Le participe passé du verbe **couper** employé pronominalement demeure invariable si le complément d'objet direct (ici, **doigt**) est placé après le verbe.

**3. Le rugbyman.** Un **en-avant** est une faute que commet un joueur qui passe le ballon à un coéquipier placé devant lui ou l'envoie à la main vers le but adverse.

**4. L'aigle**, comme le **cygne**, **trompette**. Le **canard** cancane ou nasille, le **renard** glapit ou jappe ; le cri de la **fouine** n'est pas répertorié.

**5.** Il y a **3** fautes. **Flânait** prend un accent circonflexe sur le *a*, comme **flânerie**, **flâneur**. **Pantouflard** ne prend qu'un *f*, comme **pantoufle**, **pantoufler**. **Intérêt** est au singulier puisqu'il est précédé de **aucun**.

**6. La Palice.** Une **lapalissade** est une vérité évidente qui prête à rire. **La Palice**, maréchal de France qui mourut à la bataille de Pavie (1525), n'est pas l'auteur mais le sujet de ce début de chanson que composèrent ses soldats pour dire qu'il s'était battu bravement jusqu'au bout.

**7. Sphinx s'écrit avec un *i*.** Ces quatre mots tirent leur origine du grec : *larugx*, *lugx*, *pharugx*, *sphigx*. Pour les trois premiers, la lettre $\upsilon$ (*upsilon*) a donné en français, comme il se doit, un *y*. Le *i* (*iota*) du quatrième fait toute la différence...

**8.** Une **houppe**. C'est un toupet, une touffe de cheveux comme en porte également Tintin. Une **huppe** est un oiseau à la tête garnie d'une touffe de plumes et par, extension, cette touffe elle-même.

**9.** Il faut écrire :

**Quelque célèbres qu'ils soient.** Lorsque **quelque** peut être remplacé par **si**, il est adverbe et donc reste invariable.

**Quelles que soient vos conclusions.** On n'emploie jamais **quelque** en un mot quand il est placé devant un verbe. On trouve alors **quel** (adjectif relatif) **que**. Donc ici : **quelles** (au féminin pluriel) **que**.

Dans la deuxième phrase **quelque** (suivi de **que**) précède un substantif. Il est adjectif indéfini et s'accorde avec le substantif.

Dans la troisième phrase, **quelque** est placé devant un nombre et signifie « environ » : il est adverbe et donc invariable.

**10.** Voici le texte corrigé, dans lequel il fallait trouver **15** fautes :

**Le clown**
Le connaissez-vous ? Le nez rouge comme une écrevisse, gri**m**é et po**mm**adé à souhai**t**, l'allure dégin-gandée de surcroî**t**, il s'avance sur la piste, vêtu d'une veste tape-à-l'œil en paillettes multicolores, à manches trois **q**uarts, et d'un pantalon bouffant pour mieux faire le bouffon. Après plusieurs **pi**treries, le voi**là** qui boulo**tt**e une assiette de pâtes qui n'en finis-sent pas de glisser sur sa fourchette et de l'exaspérer.

Il sale et resale son mets, ressasse des jurons, gesticule, puis bientôt envoie son assiette au diable, avant de redevenir placide comme l'est un gi**ll**e, devant le public qui s'esclaffe, rit et applaudit sous le chapiteau.

Commentaires :

• **grimé** et **pommadé** : **grimé** vient de **faire la grime** (faire la moue), et signifie « maquillé, fardé ». Ce mot ne prend qu'un *m*. **Pommadé** vient de **pommade** et prend donc deux *m*.

• **à souhait** : dans cette expression, **souhait** est au singulier.

• **dégingandé** : signifie « qui paraît comme disloqué dans sa démarche, ses mouvements, son allure générale ». Attention à la prononciation. Vient du verbe ancien *déhingander*, « disloquer ».

• **de surcroît** : du verbe **surcroître** (vieux), signifiant « croître au-delà de la mesure ordinaire ». Cette locution signifie « en outre, en plus ».

• **trois quarts** : adjectif qualifiant ici des manches un peu plus courtes que la normale, auxquelles il manquerait « un quart ». Pas de trait d'union, contrairement au substantif (un **trois-quarts**) qui, lui, figure en apposition dans l'expression **manteau trois-quarts**, comme **chasuble** dans **robe chasuble**.

- **bouffon** : prend deux *f* et vient de l'italien *buffone*, de *buffa*, « plaisanterie ».
- **pitreries** : **pitre** et **pitrerie** s'écrivent sans accent circonflexe sur le *i*.
- **voilà** : vient de « vois là », ce qui explique l'accent grave sur le *a*.
- **boulotte** : le verbe transitif **boulotter**, qui signifie « manger », est d'un emploi populaire. Il fait partie des verbes en *-otter* (avec deux *t*).
- **resale** : attention, ce verbe ne prend qu'un *s*, malgré la prononciation [s] entre les deux voyelles *e* et *a*. Ce verbe est formé du préfixe *re-* (de nouveau) et du verbe **saler**.
- **mets** : du latin *missus*, « mis sur la table ». Tout aliment apprêté qui entre dans la composition d'un repas. Prend un *s* final, au singulier comme au pluriel.
- **gille** : du nom propre d'un bouffon de foire, désigne un personnage niais, ou encore un des géants du carnaval de Binche, en Belgique.
- **s'esclaffe** : bien que venant du provençal *esclafa*, « éclater », ce verbe prend deux *f*.
- **chapiteau** : pas d'accent circonflexe sur le *a*. Il s'agit ici d'une tente de cirque.

# *Tests 1997*

**1.** Dans le texte suivant, retrouvez et comptez les fautes (voir modalités p. 13)...

**La nature en danger**

Que l'on n'aime ou non la montagne, que l'on croit aux vertus de l'océan ou qu'on les conteste, force est de constater que les pollutions diverses qui se sont succédées récemment ici-même n'ont pu, mesdames et messieurs, vous laissé indifférents. Vous ne me ferez pas croire que le dyoxyde d'azote vous agréée, ni que vous courez après les décibels, ni que les animaux englués dans les marées noires ne vous ont pas appitoyés ! Désormais, c'est du respect des mesures antipollutions que viendra le salut de notre environnement : l'usage de détergeants bio-dégradables, la remise au goût du jour des tramway, l'emploi du papier recyclé, la sauvegarde des sites, de la faune et de la flore, et la formation d'experts en molismologie.

**2.** Au football, un tacle est :

☐ une glissade pied(s) en avant pour déposséder l'adversaire du ballon
☐ un tir en chandelle, envoyant le ballon en hauteur
☐ l'action de passer le ballon entre les jambes d'un adversaire

**3.** De ces trois pays, lequel appelle-t-on « le toit du monde » ?

☐ le Tibet
☐ l'Argentine
☐ la Mongolie

**4.** Ces mots sont tous du même genre, sauf un. Lequel ?

☐ termite
☐ pleurote
☐ écritoire

☐ augure
☐ aphte

**5.** Qu'est-ce qu'un cimeterre ?

☐ une plante ornementale au feuillage cendré
☐ un lieu où l'on enterre les morts
☐ un sabre oriental à lame courbe

**6.** Être piriforme, c'est avoir la forme d'une...

☐ flamme
☐ spirale
☐ poire

**7.** Si l'on vous dit que l'eau a coulé sous les ponts, vous devez comprendre que :

☐ la sécheresse devient préoccupante
☐ bien du temps a passé
☐ le prix de l'eau est trop élevé

**8.** « Devoir abscons et amphigourique », a sévèrement commenté le professeur... Vous devez comprendre que votre rédaction ou dissertation...

☐ est complètement dépourvue de plan
☐ se situe constamment hors sujet
☐ est carrément inintelligible

Combien de fautes comporte la phrase suivante ?
**9.** « À la page quatre-vingts de votre manuel, il est

précisé que l'agglomération est située à quatre-vingts kilomètres de Paris et qu'elle compte deux cents mille huit cents habitants, dont quatre-vingts-quinze mille intra-muros. »

**10.** Dans le texte suivant, retrouvez et comptez les fautes (voir modalités p. 13)...

**Pas de panique !**

Quoique l'animatrice se réjouit d'entendre le météorologiste lui venter une soirée au beau fixe, elle ne se sentait pas, depuis quelques minutes, rassurée pour autant. Mille et une plaie semblaient s'être abattu sur son émission câblée. Pour original que fût sa robe, elle s'éfilochait. Par ailleurs, deux invités lui avaient battue froids. Une chanteuse s'était faussée la voix et deux violonnistes s'étaient emmêlés les pieds dans des câbles entrelacés. On recherchait deux sièges qui s'étaient envolés incongruement du plateau. Quand au public, pauvre laissez-pour-compte, il commençait à manifester son impatience par d'infames tohu-bohus ! Alors, son sang ne fit qu'un tour lorsqu'elle entendit : « Attention ! L'antenne dans trente secondes !... »

# *Réponses 1997*

**1.** Voici le texte corrigé, dans lequel il fallait trouver **13** fautes :

## La nature en danger

Que l'on aime ou non la montagne, que l'on croie aux vertus de l'océan ou qu'on les conteste, force est de constater que les pollutions diverses qui se sont succédé récemment ici même n'ont pu, mesdames et messieurs, vous laisser indifférents. Vous ne me ferez pas croire que le dioxyde d'azote vous agrée, ni que vous courez après les décibels, ni que les animaux englués dans les marées noires ne vous ont pas apitoyés ! Désormais, c'est du respect des mesures antipollution que viendra le salut de notre environnement : l'usage de détergents biodégradables, la remise au goût du jour des tramways, l'emploi du papier recyclé, la sauvegarde des sites, de la faune et de la flore, et la formation d'experts en molysmologie.

Commentaires :

• **Que l'on aime ou non** : malgré la prononciation, il n'y a pas de négation devant **aime**, car il s'agit d'une proposition affirmative. L'alternative est la suivante : « que l'on aime ou que l'on n'aime pas la montagne ».

• **croie** : il s'agit du verbe **croire** à la troisième personne du singulier du subjonctif présent (la conjonction **que** introduisant une hypothèse).

• **se sont succédé** : le verbe transitif indirect **succéder**, employé ici pronominalement, ne peut avoir de complément d'objet direct (on succède à quelqu'un). Le participe passé demeure donc invariable.

• **ici même** : **même** se lie par un trait d'union uniquement à un pronom personnel.

• **laisser** : lorsque deux verbes se suivent, dit la règle classique, le second se met à l'infinitif. Pour le vérifier, il suffit de le remplacer par un verbe d'un autre groupe, comme **rendre** (elles n'ont pu vous **rendre** – et non **rendu** – indifférents).

• **dioxyde** : ce nom masculin formé du préfixe *di-*, « deux », et du radical **oxyde** désigne un oxyde dont la molécule contient deux atomes d'oxygène.

• **agrée** : le verbe **agréer** s'écrit ici sur le même modèle que **créer**, qui donne **crée**.

• **apitoyés** : les verbes commençant par *ap-* prennent généralement deux *p*, exception faite notamment de : **apeurer, apostropher, apercevoir, apitoyer.**

• **antipollution** : cet adjectif est formé du préfixe *anti-*, traduisant l'idée d'opposition, et du substantif **pollution**, et signifie « qui lutte contre la pollution ». Cet adjectif demeure invariable (tout comme **anti-bruit**) et ne prend plus de trait d'union.

• **détergent** : vient du latin *detergens*.

• **biodégradables** : adjectif formé à partir de l'anglais *biodegradable*. S'écrit toujours en un seul mot sans trait d'union.

• **tramways** : cet anglicisme, apparu au début du XIX<sup>e</sup> siècle, prend la marque du pluriel.

• **molysmologie** : ce mot, créé en 1973, est formé du grec *molusma*, « tache », « souillure », et de *logos*, « étude », « science ». La molysmologie est la science des pollutions.


**2.** Mot anglais lexicalisé (*to tackle*, « saisir »), **tacle** désigne, au football, l'action de déposséder un adversaire du ballon, en effectuant une glissade, généralement en lançant les deux pieds en avant.

**3. Le Tibet**. On qualifie aussi de « toit du monde », par référence à leur altitude, la région du Pamir (en Asie centrale), l'Himalaya, ou encore, plus précisément, l'Everest.

**4. Écritoire**. Bien que leur consonance puisse engendrer une certaine confusion, **termite**, **pleurote**, **augure**, **aphte** sont des noms masculins. Seul le mot **écritoire** est féminin.

**5.** Le mot **cimeterre** – qui tire son origine de l'italien *scimitarra* – désigne un sabre oriental dont la lame recourbée s'élargit vers l'extrémité et qui a un seul tranchant (du côté convexe).

**6. Piriforme**, adjectif, caractérise ce qui a la forme d'une **poire**. Exemple : **un visage piriforme**. Il est formé à partir du latin *pirum*, « poire ».

**7.** Cette locution évoque **la fuite du temps**, à l'image du fil de l'eau : il coulera (il passera) de l'eau sous les ponts avant que telle chose n'arrive... Citation : « [...] *depuis ce temps-là, il a passé bien de l'eau sous le pont* » (Gérard de Nerval).

**8. Abscons** : difficile à comprendre ; **amphigourique** : inintelligible, obscur. Si le professeur avait voulu accentuer le pléonasme, il aurait pu ajouter : « alambiqué, embrouillé... » Toujours est-il que le devoir était obscur et incompréhensible.

**9.** Il fallait trouver **3** fautes.

« À la page quatre-vingt ». **Quatre-vingt** est, en ce sens, employé comme adjectif numéral ordinal et signifie « quatre-vingtième » (page) : **vingt** reste donc invariable.

« Deux cent mille huit cents habitants ». **Cent** prend la marque du pluriel lorsqu'il est précédé d'un nombre qui le multiplie (huit cents), mais il reste invariable lorsqu'il est suivi d'un autre nombre (deux cent mille).

« Quatre-vingt-quinze mille ». Si, comme **cent**, **vingt** prend la marque du pluriel lorsqu'il est précédé d'un nombre qui le multiplie (quatre-vingts kilomètres), il reste invariable lorsqu'il est suivi d'un autre nombre (quatre-vingt-quinze mille).

**10.** Voici le texte corrigé, dans lequel il fallait trouver **16** fautes :

**Pas de panique !**
Quoique l'animatrice se réjouît d'entendre le météorologiste lui vanter une soirée au beau fixe, elle ne se sentait pas, depuis quelques minutes, rassurée pour

autant. Mille et une plaies semblaient s'être abattu**es** sur son émission câblée. Pour original**e** que fût sa robe, elle s'**eff**ilochait. Par ailleurs, deux invités lui avaient batt**u** froid. Une chanteuse s'était fauss**é** la voix et deux violonistes s'étaient emmêl**é** les pieds dans des câbles entrelacés. On recherchait deux sièges qui s'étaient envolés incongr**û**ment du plateau. Quant au public, pauvre laiss**é**-pour-compte, il commençait à manifester son impatience par d'infâmes tohu-boh**u** ! Alors, son sang ne fit qu'un tour lorsqu'elle entendit : « Attention ! L'antenne dans trente secondes !... »

Commentaires :

• **(se) réjouît** : on doit utiliser le subjonctif (ici, l'imparfait) dans cette proposition subordonnée de concession introduite par **quoique**. Par conséquent, la forme **réjouît** prend un accent circonflexe sur le *i*, ce qui la différencie de celle de la troisième personne du singulier au présent et au passé simple de l'indicatif.

• **vanter** : ce verbe a le sens de « exagérer les mérites ». Il ne fallait pas le confondre avec son homonyme **venter**, « faire du vent ».

• **plaies** : ce mot s'accorde au pluriel avec l'expression **mille et une** qui le précède, traduisant l'idée d'un nombre indéterminé.

• **abattues** : participe passé du verbe transitif direct **abattre** employé ici pronominalement. Il s'accorde au féminin pluriel avec le pronom réfléchi **s'** placé avant le verbe, mis pour **mille et une plaies**.

• **originale** : cet adjectif qualificatif, modifié par la locution **pour que** ayant valeur de « si... que », est attribut du sujet inversé **sa robe**. Par conséquent, il s'accorde au féminin singulier.

• **s'effilochait** : les verbes commençant par *ef-* prennent deux *f*, seule exception : **éfaufiler**.

• **(avaient) battu froid** : on « bat froid *à* quelqu'un » ; par conséquent, le participe passé **battu** demeure invariable. **Froid** est ici adverbe, donc également invariable.

• **(s'était) faussé** : participe passé d'un verbe transitif direct employé ici pronominalement, **faussé** reste invariable, puisque le complément d'objet direct **la voix** est placé après le verbe.

• **violonistes** : ce nom vient de **violon** + la suffixation *-iste*, qui sert souvent à former des noms de métiers. Il ne prend qu'un **n**, comme **accordéon** donne **accordéoniste**.

• **(s'étaient) emmêlé** : participe passé d'un verbe transitif direct employé ici pronominalement, **emmêlé** reste invariable, puisque le complément d'objet direct **les pieds** est placé après le verbe.

• **incongrûment** : cet adverbe – comme **dûment**,

**indûment, congrûment** – s'écrit avec un accent circonflexe sur le *u*.

• **quant**, dans la locution prépositive **quant à, quant au,** s'écrit avec un *t* final. Il ne faut pas confondre avec **quand**, conjonction ou adverbe de temps.

• **laissé-pour-compte :** nom composé masculin formé sur le participe passé **laissé** (c'est le public qui est un laissé-pour-compte). Ne pas confondre avec la construction de **laisser-aller** ou de **laissez-passer**.

• **infâmes :** cet adjectif prend un accent circonflexe sur le *a*, alors que, dans la même famille de mots, **infamie** et **infamant** n'en prennent pas. Attention : **d'** est la contraction de **des**, donc **infâmes** est au pluriel.

• **tohu-bohu :** au pluriel, les deux éléments de ce nom composé demeurent invariables.

# *Tests 1998*

**1.** Dans le texte suivant, retrouvez et comptez les fautes (voir modalités p. 13)...

**Quand le printemps revient**

Compte tenu des grands froids qu'il a faits durant ces mois hiverneaux, les fraisiers se sont protégés sous de chauds fêtus de paille, les pies-griéches et les passereaux tout grelotants se sont blottis dans le creux des arbres, et les taupes, sous-terre, se sont encore plus profondèment enfouies dans les galeries. À l'étable, les vaches se sont couchées dans les foins, qu'elles ont mâché lentement, à défaut de vertes patures estivales. Seules, tandis que les ellébores noires se fânaient, les chrocus ont osé sortir un nez timide qu'ils ont pointés comme pour tester l'atmosphère. Ne devait-on pas y voir les prémisses annoncés du printemps ?

**2.** Si vous prenez le chemin des écoliers, vous faites un parcours...

☐ long et pénible
☐ long et agréable
☐ long et semé d'embûches

**3.** Le petit du cheval est :

☐ un poney
☐ un poulain

**4.** Combien faut-il mettre d'accents circonflexes pour que la phrase suivante soit bien orthographiée : « Un marin futé se tenait à babord du trois-mats. » ?

**5.** Un mot-valise est un mot...

☐ d'origine étrangère
☐ passe-partout dont abusent les écrivains
☐ formé du début d'un mot et de la fin d'un autre mot
☐ dont on ignore l'étymologie

**6.** Quel mot complète la phrase suivante ? « Pour mener à bien ce travail, rigueur et précision doivent aller de... »

☐ pair
☐ paire

**7.** Le mot « discobole » désigne :

☐ un engin circulaire qu'on lance
☐ un lanceur de disque
☐ un gymnaste sans le sou
☐ un disc-jockey chanceux

**8.** Auquel de ces verbes du premier groupe manque-t-il ici un *n* ?

☐ ramoner
☐ téléphoner
☐ s'époumoner
☐ sermoner

**9.** « Je suis mort de faim ! » Cette phrase est :

☐ un euphémisme
☐ une hyperbole
☐ une litote

**10.** Dans le texte suivant, retrouvez et comptez les fautes (voir modalités p. 13)...

## L'an 2000 et la science-fiction

Deux années encore et l'an 2000 sera la. Certes, nous nous sommes tous rendus compte que les spéculations sur le troisième millenaire étaient multiples. Les événements qui nous sont annoncés ont déjà laissés se débrider l'imagination des auteurs de romans d'anticipation et de science-fiction. Pas de big bang en vue, mais on devrait voir, sur nos autoroutes, aterrir courramment quelques jolies ovnis ou bien évoluer des robots métalliques et terrifiants à souhaits. Les télécommunications interstellaires se seront tant développées que les clônes du vingt et unième siècle, les fantomes et les ektoplasmes ne communiqueront plus que par Internet interposé. Les années-lumières seront ramenées à quelques secondes et il y aura bien une vie sur la planète Mars. Ayant délaissé les expéditions circompolaires, de hardis naviguateurs, devenus spacionautes, auront explorés la planète rouge en d'incessant va-et-vient. Même des visioconférences se seront tenues entre Vénus, Saturne et les satellites joviens, ce qui eut fait rêver Kepler et Galilé.

# Réponses 1998

**1.** Voici le texte corrigé, dans lequel il fallait trouver **16** fautes :

## Quand le printemps revient

Compte tenu des grands froids qu'il a fait durant ces mois hivernaux, les fraisiers se sont protégés sous de chauds fétus de paille, les pies-grièches et les passereaux tout grelottants se sont blottis dans le creux des arbres, et les taupes, sous terre, se sont encore plus profondément enfouies dans les galeries. À l'étable, les vaches se sont couchées dans les foins, qu'elles ont mâchés lentement, à défaut de vertes pâtures estivales. Seuls, tandis que les ellébores noirs se fanaient, les crocus ont osé sortir un nez timide qu'ils ont pointé comme pour tester l'atmosphère. Ne devait-on pas y voir les prémices annoncées du printemps ?

Commentaires :

• **a fait** : dans cette expression, le verbe **faire** est impersonnel ; par conséquent, son participe passé est invariable (il a fait des froids, il a fait des tempêtes : les froids qu'il a **fait**, les tempêtes qu'il a **fait**).

• **hivernaux** : il s'agit du pluriel en -*aux* de l'adjectif **hivernal**, formé sur le même modèle que : **égal**, **égaux** ; **moral**, **moraux**, etc.

• **fétus** : ce nom masculin, issu du latin *festuca*, désigne un brin de paille. Il prend un accent aigu sur le *e*.

• **pies-grièches** : dans ce nom composé féminin, **grièche** est le féminin de l'ancien adjectif *griois*, « grec » (les Grecs passaient, au Moyen Âge, pour avares et très querelleurs, comme cet oiseau, d'où son nom). Il prend un accent grave sur le *e*.

• **grelottants** : vient du verbe **grelotter**, qui prend deux *t*.

• **sous terre** : les mots composés avec **sous** prennent un trait d'union. Exemple : un **sous-main, sous-calibré**, etc. Ici, **sous** est une préposition et non un élément de mot composé. Par conséquent, il n'y a pas de trait d'union.

• **profondément** : adverbe de manière, **profondément** est formé de l'adjectif **profond** et du suffixe

*-ment* ; le *e* d'appui est aigu, comme **opportun** donne **opportunément**.

• **mâchés** : le participe passé **mâchés**, employé ici avec l'auxiliaire **avoir**, s'accorde au masculin pluriel avec le pronom relatif complément d'objet direct **qu'**, placé avant lui et ayant pour antécédent **les foins**.

• **pâtures** : nom féminin qui vient du latin *pastura*, issu de *pascere*, « paître » : le *s* latin s'est transformé, comme pour beaucoup de noms, en accent circonflexe (autre exemple : *forest* qui a donné **forêt**).

• **seuls** : adjectif mis en apposition, **seuls**, qui se rapporte à **crocus**, s'accorde au masculin pluriel.

• **ellébores** (ou **hellébore**), désignant une plante vivace, est un nom masculin, d'où l'accord en genre et en nombre de l'adjectif épithète **noirs**.

• **se fanaient** : pas d'accent circonflexe sur le *a* du verbe **faner**, faute couramment commise.

• **crocus** : le **crocus** est une plante herbacée, courte sur tige, à fleurs blanches, mauves ou jaunes. Son nom vient du grec *krokos*, « safran ».

• **ont pointé** : le participe passé **pointé**, employé avec l'auxiliaire **avoir**, s'accorde au masculin singulier avec le pronom relatif complément d'objet direct **qu'** placé avant lui et ayant pour antécédent **un nez timide**.

• **prémices annoncées** : les **prémices**, avec un *c*, nom féminin pluriel, désignent le commencement, le début (ici, du printemps). Ne pas confondre avec **prémisse**, nom féminin homonyme (fait dont on tire une conclusion). **Annoncées** s'accorde donc au féminin pluriel.

**2. Un chemin long et agréable.** Prendre le chemin des écoliers, c'est faire le trajet le plus long, celui qui permet de flâner et d'arriver le plus tard possible à l'école. C'est donc un parcours agréable. Expression proche : « faire l'école buissonnière », c'est-à-dire musarder le long des buissons, au lieu d'aller en classe.

**3.** Le **poulain** (mâle ou femelle) est le petit du cheval (on l'appelle ainsi jusqu'à ses trente mois). Au-delà, la femelle devient une pouliche, puis une jument ; le mâle, un cheval... Le **poney**, lui, est une variété de cheval caractérisée par sa petite taille et une crinière épaisse (de l'anglais *pony*).

**4.** Il manquait **2 accents**. **Futé(e)** n'est pas de la famille de **fût** et ne prend pas d'accent circonflexe. En revanche, **bâbord**, qui vient du néerlandais *bakboord*, et **trois-mâts**, formé sur **mât**, comportent cet accent.

**5.** Un **mot-valise** est **formé du début d'un mot et de la fin d'un autre.** Ainsi, **franglais**, issu de **fran(çais)** et d'**(an)glais**, mot-valise dû à Étiemble. Proposons également **horriflamme**, « drapeau destiné à semer l'effroi », néologisme fantaisiste obtenu à partir d'horr(eur) et d'(or)iflamme...

**6.** L'expression **aller de pair** signifie que les choses (plus rarement les personnes) désignées ont des points communs. Il ne faut donc pas croire que cette locution s'emploie pour parler de deux choses qui forment une paire.

**7. Un lanceur de disque.** Discobole est issu du mot grec *diskobolos*, de *diskos*, « disque », et *ballein*, « lancer, jeter ».

**8. Sermonner.** Les trois autres verbes (avec un seul *n*) sont justement les exceptions principales face aux dizaines de verbes qui se terminent en *-onner*.

**9. Une hyperbole.** L'expression est fondée sur une exagération, et non sur une atténuation. L'**euphémisme** et la **litote** adoucissent une formulation qui pourrait être trop choquante, trop crue.

**10.** Voici le texte corrigé, dans lequel il fallait trouver **20** fautes :

**L'an 2000 et la science-fiction**
Deux années encore et l'an 2000 sera là. Certes, nous

nous sommes tous rendu compte que les spéculations sur le troisième millénaire étaient multiples. Les événements qui nous sont annoncés ont déjà laissé se débrider l'imagination des auteurs de romans d'anticipation et de science-fiction. Pas de big bang en vue, mais on devrait voir, sur nos autoroutes, atterrir couramment quelques jolis ovnis ou bien évoluer des robots métalliques et terrifiants à souhait. Les télécommunications interstellaires se seront tant développées que les clones du vingt et unième siècle, les fantômes et les ectoplasmes ne communiqueront plus que par Internet interposé. Les années-lumière seront ramenées à quelques secondes et il y aura bien une vie sur la planète Mars. Ayant délaissé les expéditions circumpolaires, de hardis navigateurs, devenus spationautes, auront exploré la planète rouge en d'incessants va-et-vient. Même des visioconférences se seront tenues entre Vénus, Saturne et les satellites joviens, ce qui eût fait rêver Kepler et Galilée !

Commentaires :

• **là**, adverbe de lieu, s'écrit avec un accent grave.

• **rendu compte** : le pronom complément **nous** n'est pas complément d'objet direct, donc **rendu** est invariable.

• **millénaire** prend un accent aigu sur le *e* pour faire le son [e].

• **laissé** : le participe passé **laissé**, employé avec l'auxiliaire **avoir**, demeure invariable car il est suivi – et non précédé – de la proposition infinitive complément d'objet direct **se débrider l'imagination**...

• **atterrir** : formé du préfixe latin *a(d)* et de **terre**, ce verbe redouble le *t* ; dans la même famille de mots, **atterrissage** et **atterrissement** prennent également deux *t* et deux *r*.

• **couramment** : cet adverbe de manière a été formé sur **courant**, qui ne prend qu'un *r*, comme le verbe **courir**.

• **jolis** : adjectif épithète qui s'accorde avec **ovnis** (objets volants non identifiés), donc au masculin pluriel.

• **à souhait** : cette locution est toujours au singulier et signifie « autant que possible, autant qu'on peut le souhaiter ».

• **clones** : pas d'accent circonflexe sur le *o*, pas plus qu'à **clonage** ni à **cloner**, mots de la même famille.

• **fantômes** : prend un accent circonflexe sur le *o*, mais **fantomatique**, dans la même famille de mots, n'en prend pas.

• **ectoplasme** : ce nom masculin est formé de *ecto-*, du grec *ektos*, « au-dehors », et de *-plasme*, du grec *plasma*, « chose façonnée ».

• **années-lumière** : signifie des « années de lumière » ;

par conséquent, seul le premier élément de ce nom composé est variable.

• **circumpolaires** : formé de l'élément latin *circum*-, « autour », et de l'adjectif **polaire**, cet adjectif signifie « qui est ou a lieu autour d'un pôle ».

• **navigateurs** : si le verbe **naviguer** et le participe présent **naviguant** prennent un *u* après le *g*, **navigateur**, **navigant** (adjectif verbal) n'en prennent pas.

• **spationautes** : ce mot est formé des éléments *spatio*-, de **spatial** (de l'espace), et *-naute*, du grec *nautês*, « navigateur ». Le *t* se prononce [s].

• **exploré** : le participe passé **exploré**, employé avec l'auxiliaire **avoir**, demeure invariable, car il est suivi – et non précédé – de son complément d'objet direct.

• **incessants** : d' est l'élision de **des** ; **incessants** est donc au pluriel.

• **joviens** : vient du latin *Jovis*, génitif de **Jupiter**, et signifie « relatif à la planète Jupiter ».

• **eût** : troisième personne du singulier du conditionnel passé deuxième forme de l'auxiliaire **avoir** (avec accent circonflexe sur le *u*). Ce mode traduit l'hypothèse (sous-entendu « ce qui aurait [en leur temps] fait rêver Kepler et Galilée »).

• **Galilée** : le nom de ce savant, astronome et écrivain italien (1564-1642), s'écrit avec un *e* final (tout comme la région du nord de la Palestine).

# Tests 1999

**1.** Dans le texte suivant, retrouvez et comptez les fautes (voir modalités p. 13)...

**En Égypte**

Les sites archéologiques égyptiens sont parmi les plus riches et les plus fascinants du monde. Des recherches menées par des archéologues pugnaces ont permis de mettre au jour des merveilles. Ce sont les mastabhas méconnues, et surtout les pyramides majestueuses dans lesquelles, inhûmés derrière une porte scéllée, les pharaons momifiés dans des sarcophages richement ornementés s'étaient entourés d'objets funèraires précieux et s'étaient garanti des actes de profanation qu'aurait pu commettre d'hypotétiques pilleurs à l'aide de stratagèmes comme des fausses-portes ou des labirynthes. Ce sont aussi les sphinx, les fresques polychrones et les temples pharaonniques dominés par des obélisques couronnées de pyramidyons et portant des hiéroglyphes abscons. Qui aurait crû, après tant de siècles, que les noms de Cléopâtre, de Ramsès ou de Touthankamon nous seraient encore familiers tandis que les felouques glissent toujours sur le Nil ?

**2.** Laquelle de ces phrases est mal orthographiée ?

☐ Vas à la gare !
☐ Donnes-en à tes amis !
☐ Cueille des marguerites !

**3.** « L'armée napoléonienne souffrit à ce moment de nombreuses défectuosités : en pleine bataille, en effet, des régiments alliés changèrent de camp ! »
Cette phrase est :

☐ correcte                    ☐ incorrecte

**4.** Les noms suivants, sauf un, ne sont utilisés qu'au pluriel. Quel est donc l'intrus ?

☐ fiançailles
☐ grègues
☐ dépens

☐ affres
☐ ciseaux

**5.** « Un satyre s'amusait à lire les *Satires* de Boileau. »
Cette phrase est-elle correctement orthographiée ?

☐ oui          ☐ non

**6.** Si vous faites diligence pour remettre un travail,
c'est que :

☐ vous le réalisez sans vous presser
☐ vous vous dépêchez pour vite le terminer
☐ vous vous arrêtez souvent pour vous reposer

**7.** Au basket, la pénalité accordée à un joueur victime
d'une faute est :

☐ un lancer direct
☐ un lancer franc
☐ un lancer jeté
☐ un lancer tiré

**8.** Laquelle de ces trois phrases est correcte ?

☐ Il ne se dépare jamais de son calme souverain.
☐ Il se déparut soudain de sa bonne humeur légen-
daire.

☐ Pourquoi se départ-elle soudain de sa rigueur habituelle ?

**9.** De quelle langue viennent tous les noms communs de la phrase suivante ?
« Le mannequin lit dans la yole un bouquin sur les flibustiers. »

☐ du russe
☐ de l'italien
☐ du néerlandais
☐ de l'anglais

**10.** Une seule de ces trois phrases est correctement orthographiée. Laquelle ?

☐ Il regrette les mille huit cents francs que ce voyage lui a coûté.
☐ Il regrette les mille huit cent francs que ce voyage lui a coûtés.
☐ Il regrette les mille huit cents francs que ce voyage lui a coûtés.

# Réponses 1999

**1.** Voici le texte corrigé, dans lequel il fallait trouver **16** fautes :

## En Égypte

Les sites archéologiques égyptiens sont parmi les plus riches et les plus fascinants du monde. Des recherches menées par des archéologues pugnaces ont permis de mettre au jour des merveilles. Ce sont les mastabas méconnus, et surtout les pyramides majestueuses dans lesquelles, inhumés derrière une porte scellée, les pharaons momifiés dans des sarcophages richement ornementés s'étaient entourés d'objets funéraires précieux et s'étaient garantis des actes de profanation qu'auraient pu commettre d'hypothétiques pilleurs à l'aide de stratagèmes comme des fausses portes ou des labyrinthes. Ce sont aussi les sphinx, les fresques polychromes et les temples pharaoniques dominés par des obélisques couronnés de pyramidions et portant des hiéroglyphes abscons. Qui aurait cru, après tant de siècles, que les noms de Cléopâtre, de Ramsès ou de Toutankhamon nous seraient encore familiers tandis que les felouques glissent toujours sur le Nil ?

Commentaires :

• **mastabas méconnus** : issu d'un mot arabe signifiant « banc », « banquette », le mot **mastaba**, sans *h*, désignait, dans l'ancienne Égypte, un tombeau de forme trapézoïdale qui abritait les notables. Ce nom est masculin, d'où l'accord de l'adjectif **méconnus** au masculin pluriel.

• **inhumés** : vient du verbe latin *inhumare*, de *humus*, « terre », d'où la présence du *h* muet après le *n*. Inhumé est synonyme de **enseveli**, **enterré**.

• **scellée** : vient du verbe transitif **sceller**, lui-même de *scel*, ancienne forme de **sceau**. Ce mot, qui se prononce [sele], ne prend pas d'accent sur le premier *e*, parce qu'il est suivi d'une consonne double.

• **funéraires** : adjectif utilisé pour tout ce qui est relatif aux funérailles, aux tombes. Accent aigu sur le *e*.

• **garantis** : le verbe transitif **garantir** est ici employé à la forme pronominale. Son complément d'objet direct **s'**, mis pour **les pharaons momifiés**, est placé avant le verbe ; par conséquent, le participe passé s'accorde au masculin pluriel.

• **auraient pu** : le sujet inversé de ce verbe est **d'hypothétiques pilleurs** ; par conséquent, l'accord du verbe devait se faire à la troisième personne du pluriel.

• **hypothétiques** : de la même famille que **hypothèse**, formé de *hypo-* et de **thèse**, cet adjectif prend deux *h*.

• **fausses portes** : ce groupe de mots ne prend pas de trait d'union et chacun de ses éléments s'accorde.

• **labyrinthes** : vient du grec *laburinthos* et s'écrit donc avec un *y*, puis un *i*.

• **polychromes** : cet adjectif est formé de deux éléments issus du grec : *poly-* (*polus*, « nombreux »), et *-chrome* (*khrôma*, « couleur »). Ce qui est **polychrome** est composé de plusieurs couleurs.

• **pharaoniques** : cet adjectif formé à partir du nom **pharaon** prend un *n*.

• **couronnés** : l'adjectif **couronnés** s'accorde en genre et en nombre avec le nom masculin pluriel **obélisques**.

• **pyramidions** : issu de **pyramide**, ce nom désigne un sommet pyramidal, notamment en haut d'une colonne et ne prend qu'un *y*.

• **cru** : le participe passé du verbe **croire** ne prend

pas d'accent circonflexe sur le *u*. Il ne fallait pas le confondre avec le participe passé du verbe **croître**, qui, lui, en prend un.

• **Toutankhamon** : le tombeau de ce pharaon de la XVIIIe dynastie fut découvert dans la Vallée des Rois en 1922.

**2.** Il faut écrire : « **Va** à la gare. » À l'impératif présent, le verbe **aller** ne prend un *s* final (pour raison d'euphonie) que lorsqu'il est suivi de *y* (**vas-y**). Dans la deuxième phrase, notez que le *s* de **donnes** est aussi un *s* euphonique.

**3.** La phrase est incorrecte, car c'est le mot **défections** qui convient. Au XIIIe siècle, ce mot signifiait « éclipse ». À Leipzig, en 1813, par exemple, les régiments saxons... s'éclipsèrent, quittant la Grande Armée pour rejoindre les rangs ennemis, d'où l'emploi, en France, de **saxon** au sens de « traître ». **Défectuosité** est synonyme de **défaut**, **imperfection**.

**4. Ciseaux.** Seul parmi les mots proposés, il existe au singulier. Tous les autres ne sont attestés qu'au pluriel : les **fiançailles**, les **grègues** (hauts-de-chausses), les **dépens** (frais) et les **affres** (tourment, douleur) ne peuvent se concevoir à l'unité.

**5. Cette phrase est correctement orthographiée.** En effet, lorsque **satyre** désigne – dans la langue familière – un « personnage lubrique, obscène », il s'orthographie avec un **y**. Il vient du nom de la divinité mythologique représentée sous la forme d'un être humain doté de cornes et de pieds de bouc. L'écrivain Nicolas Boileau (1636-1711) est, quant à lui, l'auteur de *Satires*, poèmes satiriques à la manière d'Horace.

**6. Vous vous dépêchez pour vite le terminer.** La locution **faire diligence** nous vient du temps jadis où la diligence était considérée, pour le commun des mortels, comme le moyen de déplacement le plus rapide sur une longue distance. L'expression **faire** (comme une) **diligence** s'imposa donc, et nous est restée. Évidemment, au regard de nos moyens de transport modernes, on pourrait être tenté de retenir l'idée de lenteur, de longues étapes... Mais voilà, la langue a une histoire !

**7. Un lancer franc.** Le joueur se place sur la ligne de lancer franc, à 5,80 m de la ligne de fond, face au panier.

**8. La troisième phrase est correcte.** Le verbe pronominal **se départir** (se séparer de, abandonner, renoncer à) est un dérivé de **partir**, verbe du troisième groupe. La forme **dépare** appartient au verbe du premier groupe **déparer** qui signifie « nuire à la beauté, au bon effet » ; elle est donc impropre dans ce contexte. La forme **déparut** n'existe pas.

**9.** Ces noms sont issus du **néerlandais**, comme : **houblon, crabe, bâbord, espiègle, gueux, matelot, mitraille.**

**10. La première phrase est correcte. Cent** prend un *s* quand il est précédé d'un nombre qui le multiplie ; il reste invariable si, dans le même cas, il est suivi d'un autre nombre : mille huit cents ; mille huit cent deux. Le participe passé **coûté** demeure invariable quand il est construit avec un complément circonstanciel de prix (qui répond à la question « combien ? » et non « quoi ? »). Mais il varie quand il a le sens de « causer », « occasionner » : « Les peines que ces travaux lui ont coûtées. »

# *Tests 2000*

**1.** Dans le texte suivant, retrouvez et comptez les fautes (voir modalités p. 13)...

**Et demain les bouquins ?**

Certains déclarent qu'à l'avenir le livre sera numérique ou ne sera pas, et que le support papier n'existera plus. D'autres rétorquent que, grâce à tous les serveurs en ligne sur Internet, il suffira – en respectant des barêmes tarrifaires – de télécharger l'œuvre qu'ils auront choisis et de l'imprimer pour la lire toute à loisirs. Qui croire ? Comment séparer le bon grain de l'ivret et anticiper ? Du papier ou du numérique, lequel aura le-dessus ? Auprès des bookmackers, les paris sont engagés. Mais que seront les livres devenu ? Ceux qu'on écorne, ceux qu'on empile, ceux qu'on laisse entrouverts, ceux qu'on feuillète négligeamment ? Mais aussi ces incunables, ces anthologies et autres volumes rarisimes ornés de tranche-files colorés ? Quand aux manuels, aux vade-mecums et aux mementos d'aujourd'hui, les élèves du vingt et unième siècle les aborreront-ils, leur préférant les cédéroms ? Qui lira verrat.

**2.** Que signifie l'expression « veiller au grain » ?

☐ surveiller son régime alimentaire
☐ contrôler sa moisson
☐ être prudent, sur ses gardes

**3.** Tous ces noms ont un rapport avec la mer, sauf un. Lequel ?

☐ dragueur
☐ voyou
☐ vaurien
☐ youyou
☐ vedette

**4.** En géométrie, un ennéagone est :

☐ un trapèze rectangle de plus de 9 cm de côté

☐ une figure qui possède neuf angles, donc neuf côtés

☐ l'autre nom du triangle équilatéral

**5.** L'expression « dune de sable » est un pléonasme...

☐ vrai                    ☐ faux

**6.** Le capitaine Haddock vous traite de bachi-bou-zouk ! Qu'êtes-vous donc, selon lui ?

☐ un pirate de la mer d'Oman

☐ un vandale qui détruit les images saintes

☐ un cavalier de l'ancienne armée turque

**7.** Ces trois noms d'animaux : show-show, chihuahua, chinchilla, sont-ils bien orthographiés ?

☐ oui                    ☐ non

**8.** Ils sont fâchés : ils se regardent en...

☐ chiens-assis

☐ chiens de fusil

☐ chiens de faïence

☐ chiens de mer

## Questions subsidiaires

**9.** Combien d'erreurs ce texte comporte-t-il ? (Voir modalités p. 13)...

« Il s'agit la d'une zône de côteaux dans l'Eure et Loire. »

**10.** Combien d'erreurs ce texte comporte-t-il ? (Voir modalités p. 13)...

« Fallait-il pour autant se mettre hors la loi ? »

# Réponses 2000

**1.** Voici le texte corrigé, dans lequel il fallait trouver **19** fautes :

**Et demain les bouquins ?**
Certains déclarent qu'à l'avenir le livre sera numérique ou ne sera pas, et que le support papier n'existera plus. D'autres rétorquent que, grâce à tous les serveurs en ligne sur Internet, il suffira – en respectant des barèmes tarifaires – de télécharger l'œuvre qu'ils auront choisie et de l'imprimer pour la lire tout à loisir. Qui croire ? Comment séparer le bon grain de l'ivraie et anticiper ? Du papier ou du numérique, lequel aura le dessus ? Auprès des bookmakers, les paris sont engagés. Mais que seront les livres deve-

nus ? Ceux qu'on écorne, ceux qu'on empile, ceux qu'on laisse entrouverts, ceux qu'on feuillette négligemment ? Mais aussi ces incunables, ces anthologies et autres volumes rarissimes ornés de tranchefiles colorées ? Quant aux manuels, aux vade-mecum et aux mémentos d'aujourd'hui, les élèves du vingt et unième siècle les abhorreront-ils, leur préférant les cédéroms ? Qui lira verra.

Commentaires :

• **barèmes** : bien que ce mot soit issu du nom propre François **Barrême**, il s'écrit aujourd'hui avec un seul *r* et prend un accent grave sur le *e*.

• **tarifaires** : cet adjectif dérivé de **tarif** ne prend qu'un *r*.

• **choisie** : employé au futur antérieur de l'indicatif, ce participe passé s'accorde avec le pronom relatif complément d'objet direct **qu'**, placé avant, ayant pour antécédent **l'œuvre**, donc au féminin singulier.

• **tout à loisir** : cette locution adverbiale est invariable (**tout** est adverbe, donc invariable, et **à loisir** est toujours au singulier).

• **l'ivraie** : dans l'expression **séparer le bon grain de l'ivraie**, signifiant, ici, « séparer le bien du mal », **l'ivraie** désigne une plante graminée qui gêne la croissance d'autres céréales.

• **le dessus** : aucune raison de mettre un trait d'union

entre **dessus**, nom commun, et l'article **le** qui le précède.

• **bookmakers** : cet anglicisme est formé de *book*,
« livre », et de *maker*, « celui qui fait ». Le **bookma-
ker** est celui qui prend les paris, notamment pour les
courses, les matchs...

• **devenus** : ce participe passé employé avec l'auxiliaire **être** s'accorde en genre et en nombre avec le
sujet **les livres**.

• **feuillette** : **feuilleter** se conjugue comme le verbe
**jeter** : il prend deux *t* à la troisième personne du
présent de l'indicatif.

• **négligemment** : les adverbes formés sur les adjectifs
en *-ent* se terminent par *-emment*, donc **négli-
gent** → **négligemment**, ou encore **intelligent** → **intel-
ligemment.**

• **rarissimes** : adjectif formé de **rare** et du suffixe
*-issime* (du latin *-issimus*, servant à former des super-
latifs), comme **riche** → **richissime**.

• **tranchefiles colorées** : **tranchefile** (nom féminin)
s'écrit en un seul mot et désigne le galon cousu en
haut et en bas du dos d'un ouvrage relié. **Colorées**
s'accorde au féminin pluriel.

• **quant aux** : **quant**, dans cette locution prépositive
signifiant « en ce qui concerne », s'écrit avec un *t* final,
contrairement à **quand**, conjonction ou adverbe.

• **vade-mecum** : ce nom composé, formé avec les

mots latins *vade*, « vient », *cum*, « avec », *me*, « moi », est à moitié francisé. Il est invariable et prend un trait d'union. Un **vade-mecum** est un livre qu'on a toujours par-devers soi pour le consulter.

• **mémentos** : ce nom masculin, d'origine latine, a été francisé. Il prend, par conséquent, un accent sur le premier *e* et s'accorde au pluriel.

• **abhorreront** : le verbe **abhorrer** s'écrit avec un *h* et avec deux *r* (il appartient à la famille du mot **horreur**). Il signifie « avoir en horreur, détester ».

• **verra** : le verbe **voir** à la troisième personne du futur de l'indicatif se termine par *a*.

**2. Être prudent.** Cette expression est empruntée au langage maritime. Le **grain** est un coup de vent subit souvent accompagné de pluies.

**3.** À l'exception de **voyou**, ces noms désignent des bateaux ou des embarcations.

**4.** Le nom masculin **ennéagone** est formé du grec *ennea*, « neuf », et *gônia*, « angle ». Il s'agit d'une figure géométrique à **neuf angles**, donc à **neuf côtés**.

**5. Dune de sable** est effectivement une formule pléonastique : une dune, qu'elle soit au milieu du Sahara ou en bord de mer, est forcément un monticule, une colline de sable.

**6. Bachi-bouzouk** est un mot turc du XIX^e siècle qui désignait un cavalier de l'armée ottomane, enrôlé en temps de guerre. Le premier sens de ce mot est « mauvaise tête ».

**7. Non.** Le **chow-chow** (qui s'écrit avec des **c**) et le **chihuahua** sont des chiens, le **chinchilla** est un rongeur.

**8. Chiens de faïence.** La comparaison avec des **chiens en faïence** situés face à face évoque une immobilité et un silence hostiles. Des **chiens-assis** sont des lucarnes en charpente sur un toit. **En chien de fusil** désigne une position corporelle : les genoux ramenés sur le ventre. Les **chiens de mer** sont de petits squales.

**Réponses aux questions subsidiaires**

**9.** Ce texte comporte **6** erreurs.
« Il s'agit là d'une zone de coteaux dans l'Eure-et-Loir. »
**Là** (avec accent grave) est un adverbe de lieu. **Zone**

(malgré sa prononciation) ne prend pas d'accent cir-conflexe. **Coteaux** (contrairement à **côtes** et **côtés**) n'en prend pas non plus. **Eure-et-Loir** prend deux traits d'union – les traits d'union sont de rigueur pour tous les départements, sauf pour le Territoire de Bel-fort –, et c'est bien du **Loir,** affluent de la Sarthe, qu'il s'agit, et non pas de la Loire.

**10**. Ce texte ne contient aucune faute.
La locution **se mettre hors la loi** ne contient pas les traits d'union qui figurent dans le nom commun **hors-la-loi.** Cela équivaut à dire : **se situer hors de la loi.**

# Tests 2001

**1.** Dans le texte suivant, retrouvez et comptez les fautes (voir modalités p. 13)...

**L'heure est à l'euro**

Adieu, vieille sesterce, franc, Deutsch Mark, shilling autrichien et lire italienne... En ce vingt et unième siècle placé sous les meilleures auspices, ne voilà-t'il pas qu'apparaît l'euro, monnaie unique qui, dans la plupart des pays de la Communauté européenne, va mettre tout le monde au diapason monétaire : les banquiers et les commerçants, les autochtones et les touristes, les économistes et les percepteurs. Rien de mieux, désormais, que les euros pour régler vos achats, profiter des soldes inouïes, rafraîchir vos bien-aimées pénates. Et j'en passe ! Les parc-mètres et les distributeurs de billets n'auront plus qu'un sézame : l'euro. Quelques courses par-ci, des voyages par-là... Avec l'euro, on passe-partout. Tandis que d'aucun se seront alarmé devant les chiffres riquiquis des salaires, d'autres se seront réjouis des prix époustoufflants affichés sur les produits étiquettés des supermarchés. Neanmoins, qu'ils ne s'y trompent pas : l'avenir est à la calculette de conversion, qui devrait aider à remettre les prix à leur juste valeur.

**2.** Laquelle de ces trois formes conjuguées est mal orthographiée ?

☐ il paierait
☐ il noyerait
☐ il balaierait

**3.** Mâle, femelle et petit : dans cet ordre, quel est le bon trio d'animaux

☐ lièvre, hase, levron
☐ hirondelle, hirondeau, hirondelet
☐ faisan, faisane, faisandeau

**4.** Dans *le Poinçonneur des Lilas*, Serge Gainsbourg chantait :
« *J'en ai marre, j'en ai ma claque... de ce cloaque...* »

Qu'est-ce qu'un cloaque ?

☐ un établissement pénitentiaire où sont détenus certains condamnés
☐ un lieu destiné à recevoir les immondices
☐ une excavation pratiquée dans le sous-sol pour l'exploitation d'un gisement

**5.** Lorsqu'on utilise un bathymètre, on mesure :

☐ la pression atmosphérique
☐ les profondeurs marines
☐ la force du vent

**6.** Les écuries d'Augias avaient besoin d'être :

☐ agrandies
☐ reconstruites
☐ rénovées
☐ nettoyées
☐ éclairées

**7.** De ces quatre affirmations, laquelle est exacte ?

☐ Le sommelier est un fabricant de semelles.
☐ Ce qui est explicite est non formulé, sous-entendu.
☐ La mégalomanie désigne la folie des grandeurs.
☐ L'arrière d'un bateau s'appelle la poulpe.

**8.** Quelle est la forme syntaxique exacte pour cette phrase ?

☐ C'est bien de cela qu'il s'agit.
☐ C'est bien de cela dont il s'agit.

## Questions subsidiaires

**9.** Combien d'erreurs le texte suivant contient-il ?
(Voir modalités p. 13)

« Quelques deux milles jeunes comédiennes s'étaient succédées pour postuler au rôle de Chimène. »

**10.** Combien d'erreurs le texte suivant contient-il ?
(Voir modalités p. 13)

« Toute tremblotante et très tatillonne, elle tâtait chaque pièce pour éviter les fruits tâlés. »

# *Réponses 2001*

**1.** Voici le texte corrigé, dans lequel il fallait trouver **17** fautes :

### L'heure est à l'euro

Adieu, vi**eux** sesterce, franc, Deutsch**e** Mark, schilling autrichien et lire italienne... En ce vingt et unième siècle placé sous les meilleu**rs** auspices, ne voilà-**t**-il pas qu'apparaît l'euro, monnaie unique qui, dans la plupart des pays de la Communauté européenne, va mettre tout le monde au diapason monétaire : les banquiers et les commerçants, les autoch**t**ones et les touristes, les économistes et les percepteurs. Rien de mieux, désormais, que les euros pour régler vos achats, profiter des soldes inouïs, rafraîchir vos bien-aimés pénates. Et j'en passe ! Les parcmètres et les distributeurs de billets n'auront plus qu'un sésame : l'euro. Quelques courses par-ci, des voyages par-là... Avec l'euro, on passe partout. Tandis que d'aucuns se seront alarmés devant les chiffres riquiqui des salaires, d'autres se seront réjouis des prix époustouflants affichés sur les produits étiquetés des supermarchés. Néanmoins, qu'ils ne s'y trompent pas : l'avenir est à la calculette de conversion, qui devrait aider à remettre les prix à leur juste valeur.

Commentaires :
• **vieux sesterce** : le nom **sesterce**, désignant une ancienne monnaie romaine d'argent, est du genre masculin.
• **Deutsche** prend un *e* final. En allemand, les noms communs simples et composés s'écrivent avec une majuscule. Le **Deutsche Mark** (nom composé formé de l'adjectif *deutsche*, « allemand », et de *Mark*, mot féminin du haut allemand signifiant « moitié d'une livre d'or, d'argent ») est l'ancienne unité monétaire officielle de l'Allemagne, qui a été remplacée par l'euro.
• **schilling** : c'est l'ancienne unité monétaire principale de l'Autriche devenue l'euro. Il s'agit d'un mot allemand qui commence par *sch-*, à ne pas confondre avec **shilling** (qui a la même origine – incertaine),

ancienne unité monétaire anglaise ou encore monnaie en cours au Kenya, en Ouganda, Somalie et Tanzanie.

• **meilleurs auspices** : le pluriel français **auspices** vient du latin singulier *auspicium*, de *avis*, « oiseau », et *spicere,* « examiner ». C'était, chez les Romains, le présage que l'on tirait de l'observation du vol des oiseaux. Ce nom est masculin pluriel, donc **meilleurs**.

• **ne voilà-t-il** : ici le *t* a une valeur euphonique. **Voilà** (équivalent de **vois là**) est terminé par une voyelle suivie de **il**. On place donc le *t* entre deux traits d'union. L'apostrophe est très rare : on la trouve dans **va-t'en**, par exemple.

• **autochtones** : du grec *autos*, « soi-même », et *khton*, « terre », **autochtone** se dit d'une personne originaire du pays où elle habite.

• **soldes inouïs** : **solde** est masculin lorsqu'il désigne une marchandise mise en vente au rabais, d'où l'accord d'**inouïs**. L'homonyme **solde** au féminin désigne le salaire des militaires.

• **bien-aimés pénates** : chez les anciens Romains, les **pénates** étaient les dieux protecteurs du foyer. **Pénates** est un nom masculin pluriel, ce qui justifie l'accord de **bien-aimés**.

• **parcmètres** : formé de **parc** (à voitures), et de **mètre**, de *metron*, « mesure », ce nom, qui désigne un compteur de stationnement pour automobiles, s'écrit en un seul mot.

• **sésame** : qu'il s'agisse de la plante ou de la formule magique, ce nom ne prend pas de *z* mais un *s*.

• **passe partout** : il s'agit du verbe **passer** suivi de l'adverbe **partout**, et non du nom composé **passe-partout**, qui n'aurait, dans cette construction, aucune justification, d'après le sens de la phrase.

• **d'aucuns** : ce pronom s'emploie toujours au pluriel et signifie « quelques-uns », d'où le *s* final.

• **alarmés** : participe passé du verbe accidentellement pronominal **s'alarmer**, il s'accorde au masculin pluriel avec le pronom personnel **se**, complément d'objet direct placé avant le verbe, mis pour **d'aucuns**.

• **riquiqui** : cet adjectif, que l'on peut écrire aussi **rikiki**, est invariable.

• **époustouflants** : cet adjectif, formé à partir du verbe **époustoufler**, ne prend qu'un *f*.

• **étiquetés** : participe passé du verbe **étiqueter**, qui ne prend qu'un *t* alors que, dans la famille de ce mot, le nom **étiquette** ainsi que les formes conjuguées prennent deux *t*.

• **néanmoins** : il ne fallait pas oublier l'accent aigu sur le *e*, sans lequel il n'y a pas de prononciation accentuée.

**2. La forme conjuguée de noyer** n'est pas bien orthographiée. On doit y remplacer le *y* par un *i* devant le *e* muet : **il noierait**.

**3. La famille faisan.** Si la **hase** est bien la femelle du **lièvre**, leur petit est le **levraut** et non le levron, petit du lévrier et de la levrette. Le mot **hirondelle** désigne aussi bien le mâle que la femelle ; le petit est l'**hirondeau** ; l'**hirondelet** n'existe pas.

**4. Un lieu destiné à recevoir les immondices.** Le mot **cloaque** est issu du latin *cloaca*, « égout ». Un **cloaque** est un lieu très sale, un réceptacle d'eaux usées, et, au sens figuré, un lieu immonde. Dans la Rome antique, la *cloaca maxima*, le grand égout collecteur, fut construite par Tarquin l'Ancien.

**5. Les profondeurs marines.** Le mot **bathymètre** est formé à partir des éléments grecs *bathus,* « profond », et *metron,* « mesure ». Le **baromètre** permet de mesurer la pression atmosphérique. L'**anémomètre** sert à mesurer la vitesse du vent.

**6. Nettoyées.** Dans la mythologie, **Héraclès** – héros grec identifié, à Rome, avec Hercule – nettoya les écuries d'Augias, roi d'Élide, en les faisant traverser par les fleuves Alphée et Pénée. C'est l'un des douze travaux d'Hercule. La locution imagée **nettoyer les écuries d'Augias** s'est imposée pour évoquer un assainissement drastique de lieux et de comportements entachés par la corruption de certains puissants.

**7. La mégalomanie** désigne **la folie des grandeurs.**
Le mot **mégalomanie** est forgé sur le grec *mega*,
« grand ». Comme **mégalopole, mégalithe, méga-
phone**... Les autres propositions jouaient sur la paro-
nymie : un **sommelier** n'a aucun rapport, profession-
nellement, avec des semelles ; il s'occupe des vins
(dans un restaurant, une auberge, etc.). Ce qui est
**explicite** est exprimé très clairement. L'arrière d'un
bateau s'appelle la **poupe.**

**8. C'est bien de cela qu'il s'agit.** C'est ici le pronom
relatif **qu'** qui convient, puisque **dont** s'emploie justement pour « de qui », « de quoi », et répéterait donc
**de cela.** Mais on dira : « **C'est bien cela dont il
s'agit.** »

## Réponses aux questions subsidiaires

**9.** Le texte comporte **3** erreurs :
« Quelque deux mill**e** jeunes comédiennes s'étaient
succédé pour postuler au rôle de Chimène. »
Lorsque **quelque** signifie « environ », c'est un
adverbe invariable ; **mille,** quand il est adjectif numé-

ral, demeure invariable ; le verbe [se] **succéder** ne pouvant avoir de complément d'objet direct, son participe passé, **succédé**, est toujours invariable.

**10.** Le texte comporte **1** erreur :
« Toute tremblotante et très tatillonne, elle tâtait chaque pièce pour éviter les fruits talés. »
**Talés** s'écrit sans accent circonflexe sur le *a*.

# *Tests 2002*

**1.** Dans le texte suivant, retrouvez et comptez les fautes (voir modalités p. 13)...

## Au Moyen Âge

C'est sur des mottes ou des collines aux versants abruptes, dominant des vals, que, au Moyen Âge, les seigneurs avaient fait érigé d'inexpugnables forteresses mi-résidencielles, mi-défensives : les châteaux-forts. Ces monuments, à demi-détruits ou rénovés, existent encore, entourés de massifs murs d'enceinte. On peut toujours marcher sur les chemins de ronde ou se perdre dans le labyrinthe des souterrains mithyques jusqu'aux terribles oubliettes et aux cachots infames dont les portes cadenacées ont retenu des prisonniers qui s'y sont éteint. En ce temps là, les guerres étaient légions. Ni le revolver ni la baionnette n'avaient été inventées, et les seules armes d'alors étaient les arbalètres et les arcs, les catapultes et les trébûchets. Depuis les écheauguettes, des guêteurs s'étaient habitués à scruté les alentours et, chaque fois que les ennemis les avaient menacé, des moyens de défense bien affutés s'étaient alors déclenchés. On avait sur-le-champ relevé le pont levis et fait tomber la herse. Des machicoulis, on avait versé des chaudrons entiers de chaux vive ou d'huile bouillante sur les attaquants qui avaient tenté de grimper aux échelles. Depuis les hourts et les archères, des nuées de flèches s'étaient abattues sur les assaillants. Mais c'était aussi l'époque d'Ivanhoë et de Lancelot, époque où la poésie à l'amour courtois s'étaient mêlées, et où le pieux chevalier, dans la lisse, s'était évertué sans foi à porter hauts les couleurs de sa dame de cœur au cours de tournois sans mercie.

**2.** Invité(e) à une fête le dimanche 24 février dernier pour le mercredi en huit, vous y êtes donc allé(e) :

☐ le 27 février
☐ le 6 mars
☐ le 13 mars

**3.** Qu'est-ce qu'un plagiaire ?

☐ une personne qui pille les œuvres des autres
☐ une personne qui exploite une plage payante
☐ une personne qui pille les troncs d'église

**4.** L'un de ces mots composés au pluriel est fautif. Lequel ?

☐ des tire-laits
☐ des tire-bouchons
☐ des tire-lignes

**5.** Lorsque, pour quelqu'un, il y a péril en la demeure, cela signifie :

☐ qu'un grave danger menace son habitation
☐ qu'il lui faut agir sans tarder
☐ qu'il doit s'acquitter rapidement d'une dette

**6.** L'un de ces mots désigne un couvercle. Lequel ?

☐ fibule
☐ manipule
☐ opercule
☐ utricule
☐ ventricule

**7.** Laquelle de ces deux formes du verbe « ressortir »
est correcte ?

☐ Cette affaire ressortissait à la cour d'appel.
☐ Cette affaire ressortait à la cour d'appel.

**8.** Parmi ces titres de romans de Jules Verne, lequel
est mal orthographié ?

☐ *Vingt Mille Lieux sous les mers*
☐ *Le Sphinx des glaces*
☐ *Cinq Semaines en ballon*

## Questions subsidiaires

**9.** Combien d'erreurs le texte suivant comporte-t-il ?
(Voir modalités p. 13.)

« Les stewarts du Stade de France n'étaient pas
sauts : ils avaient remarqué les manigances qui
s'étaient succédé dans les tribunes. Quelques cent
lascars s'étaient arrogés le droit d'y pénètrer en ce
faisant passer pour des gardes du corps de VIP venus
incognitos. Ah ! que l'empoignade fût belle ! »

**10.** Combien d'erreurs le texte suivant comporte-t-il ?
(Voir modalités p. 13.)

« Tous, nous nous sommes méfié quand, après leur arrestation, ces margoullins se sont repentis de s'être enfui aussi tôt que les animaux dont ils faisaient commerce avaient été retrouvé affamés. Peut être, alors, étaient-ils encore en train de nous raconter des cracks ?... »

# Réponses 2002

**1.** Voici le texte corrigé, dans lequel il fallait trouver **32** fautes :

## Au Moyen Âge

C'est sur des mottes ou des collines aux versants abrupts, dominant des vals, que, au Moyen Âge, les seigneurs avaient fait ériger d'inexpugnables forteresses mi-résidentielles, mi-défensives : les châteaux forts. Ces monuments, à demi détruits ou rénovés, existent encore, entourés de massifs murs d'enceinte. On peut toujours marcher sur les chemins de ronde ou se perdre dans le labyrinthe des souterrains mythiques jusqu'aux terribles oubliettes et aux cachots infâmes dont les portes cadenassées ont retenu des prisonniers qui s'y sont éteints. En ce temps-là, les guerres étaient légion. Ni le revolver ni la baïonnette n'avaient été inventés, et les seules armes d'alors étaient les arbalètes et les arcs, les catapultes et les trébuchets. Depuis les échauguettes, des guetteurs s'étaient habitués à scruter les alentours et, chaque fois que les ennemis les avaient menacés, des moyens de défense bien affûtés s'étaient alors déclenchés. On avait sur-le-champ relevé le pont-levis et fait tomber la herse. Des mâchicoulis, on avait versé des chaudrons entiers de chaux vive ou d'huile bouillante sur les attaquants qui avaient tenté de grimper aux échelles. Depuis les hourds et les archères, des nuées de flèches s'étaient abattues sur les assaillants. Mais c'était aussi l'époque d'Ivanhoé et de Lancelot, époque où la poésie à l'amour courtois s'était mêlée, et où le pieux chevalier, dans la lice, s'était évertué **cent** fois à porter haut les couleurs de sa dame de cœur au cours de tournois sans merci.

Commentaires :
• **abrupts** : épithète de **versants**, donc accordé au masculin pluriel.
• **ériger** : quand deux verbes se suivent, le second est à l'infinitif. (Pour le vérifier ici, il fallait remplacer **ériger** par un verbe du 3e groupe. On dirait : **avaient fait construire**, et non **avaient fait construit**.)

• **résidentielles** : bien que formé à partir du nom féminin **résidence**, **résidentielles** s'écrit avec un *t* prononcé [s].

• **châteaux forts** : nom composé sans trait d'union, mais **coffre-fort**, par exemple, en prend un.

• **à demi détruits** : **à demi** (locution adverbiale) est invariable, sans trait d'union devant un adjectif.

• **mythiques** : adjectif formé à partir du nom **mythe**.

• **infâmes** : accent circonflexe sur le *a*, mais **infamie** et **infamant(e)** n'en prennent pas.

• **cadenassées** : l'adjectif formé à partir du nom **cadenas** – terminé pas un *s* – redouble le *s* pour faire le son [s].

• **éteints** : le participe passé de ce verbe employé à la forme pronominale s'accorde avec le pronom personnel **s'**, mis pour **des prisonniers**.

• **ce temps-là** : **là**, adverbe de lieu, se lie par un trait d'union au nom qui le précède.

• **légion** : dans l'expression **être légion**, qui signifie « être très nombreux », **légion** est au singulier.

• **baïonnette** : du nom de la ville de Bayonne, où cette arme fut d'abord fabriquée. Tréma sur le *i*.

• **inventés** : ce participe passé (avec l'auxiliaire **être**) s'accorde avec les sujets **revolver** et **baïonnette**, donc au masculin pluriel.

• **arbalètes** : vient du bas latin *arcuballista*, du latin classique *arcus*, « arc », et *ballista*, « baliste ». La terminaison est *-te*, bien que dans la même famille de mots on trouve **arbalétrier** et **arbalétrière**.

• **trébuchets** : pas d'accent sur le *u* de ce mot qui vient du verbe **trébucher**, de *tres-*, « au-delà », et de l'ancien français *buc*, « tronc du corps ». Cette machine à contrepoids était destinée à lancer des pierres.

• **échauguettes** : de *eschauguaite*, « guet ». Guérite en pierre surplombant les murs des châteaux forts.

• **guetteurs** : pas d'accent sur le *e* devant deux *t*.

• **scruter** : verbe à l'infinitif complément d'objet indirect (préposition **à**) de **s'étaient habitués**.

• **menacés** : ce participe passé (avec **avoir**) s'accorde avec son complément d'objet direct placé avant, le pronom personnel **les**, mis pour **des guetteurs**.

• **affûtés** : accent circonflexe sur le *u*, comme pour le nom **fût**.

• **pont-levis** : ce nom composé signifiant « pont qui se lève » prend un trait d'union.

• **mâchicoulis** : accent circonflexe sur le *a*. C'était une construction en encorbellement en haut des murailles d'un château.

• **hourds** : du francique *hurd*, « palissade ». Galerie de bois en encorbellement au sommet d'une muraille ou d'une tour.

• **flèches** : accent grave devant une syllabe muette, mais accent aigu à **fléchette** et à **flécher**.

- **Ivanhoé** : le nom du héros du roman de Walter Scott s'écrit, en français, avec un accent aigu sur le *e* final.
- **s'était mêlée** : le participe passé du verbe **mêler** employé pronominalement s'accorde avec le pronom **s'**, mis pour **la poésie**, le seul sujet.
- **lice** : du francique *listja*, « barrière », la **lice** était un champ clos pour les joutes et les tournois.
- **cent fois** : par le sens, le pieux chevalier ne peut être « sans foi », c'est-à-dire « sans croyance ».
- **haut** : adjectif employé ici adverbialement, il est donc invariable.
- **sans merci** : **merci** (pitié, grâce) est un nom féminin mais ne prend pas de *e* final.

**2. Le 6 mars**. À l'origine, l'expression **aujourd'hui en huit** désigne le huitième jour qui suit le jour où l'on se situe (c'est-à-dire aujourd'hui). Donc, pour un lundi, celui d'après. Par extension, elle vaut pour les jours qui suivent, avant le quinzième. Elle s'oppose donc à **prochain** (ici, le 27 février) et à **en quinze** (le 13 mars).

**3. Une personne qui pille les œuvres des autres.** Le mot **plagiaire** est issu du latin *plagiarius,* « celui qui vole les esclaves d'autrui », du grec *plagios*, « fourbe ». On dit aussi **démarqueur**.

**4.** On doit écrire **des tire-lait**. Chacun de ces noms composés est formé de l'élément verbal **tire**, qui demeure invariable, et d'un nom : **lait, bouchon, ligne**. Selon les règles traditionnellement en usage dans nos ouvrages de référence, les noms ne s'accordent que s'ils représentent une quantité dénombrable : un nombre de bouchons, de lignes... Le lait est une matière : on tire **du** lait et non **des** laits. C'est pour cette raison que *le Petit Larousse illustré* mentionne un seul pluriel : **tire-lait**. Certaines propositions de rectification de l'orthographe de 1990, accordant au pluriel, sans tenir compte de ce raisonnement, les noms contenus dans les composés de ce type, ont été appliquées par *le Petit Robert*, qui admet : **des tire-lait** ou **des tire-laits**.

**5. Qu'il lui faut agir sans tarder.** Le terme **demeure** a, dans cette locution, non pas le sens de « maison qu'on habite », mais le sens primitif de « retard », « attente », « action de tarder ». On retrouve ce sens dans l'expression **à demeure**, qui signifie « en permanence ».

**6. Opercule**. Ce nom masculin désigne une « pièce formant couvercle » (pour un pot de yaourt, par exemple). Une **fibule** est une agrafe, une broche antique. Un **manipule** est un ornement liturgique ou étendard romain. Un **utricule** est un petit organe de certains végétaux ou la vésicule de l'oreille interne. Un **ventricule** est une cavité du cœur ou de l'encéphale.

**7. Ressortissait.** Il existe deux verbes **ressortir** : l'un, du troisième groupe, qui signifie soit « sortir de nouveau », soit « résulter de » ; l'autre, du deuxième groupe, donc conjugué comme **finir (finissait, ressortissait)**, qui vient de l'ancien français et qui, lui, signifie « obtenir en partage ». D'abord réservé au droit, il a pris le sens général « être du domaine de ».

**8.** Il faut écrire *Vingt Mille Lieues sous les mers*. Le nom féminin **lieue** est une unité de longueur et non un endroit (un **lieu**, des **lieux**).

### Réponses aux questions subsidiaires

**9.** Ce texte comporte **8** erreurs.

« Les steward**s** du Stade de France n'étaient pas s**o**ts : ils avaient remarqué les manigances qui s'étaient succédé dans les tribunes. Quelqu**e** cent lascars s'étaient arrog**é** le droit d'y pén**é**trer en s**e** faisant passer pour des gardes du corps de VIP venus incognit**o**. Ah ! que l'empoignade f**u**t belle ! »

**Stewards** (mot anglais) ; **sots** (au féminin **sottes**) ;

**quelque** (adverbe signifiant « environ ») ; **arrogé** (verbe essentiellement pronominal dont le participe, par exception, ne s'accorde pas avec son sujet) ; **pénétrer** (deux accents aigus) ; **se** (pronom personnel pour **lascars**) ; **incognito** (adverbe, donc invariable) ; **fut** (pas d'accent circonflexe sur le *u* au passé simple de l'indicatif).

**10.** Ce texte comporte **7** erreurs.
« Tous, nous nous sommes méfiés quand, après leur arrestation, ces margoulins se sont repentis de s'être enfuis aussitôt que les animaux dont ils faisaient commerce avaient été retrouvés affamés. Peut-être, alors, étaient-ils encore en train de nous raconter des craques ?... »
**Méfiés** (verbe essentiellement pronominal dont le participe s'accorde avec son sujet, le premier **nous**) ; **margoulins** (un seul *l*) ; **enfuis** (même remarque que pour **méfiés**, et le sujet est **margoulins**) ; **aussitôt que** (locution conjonctive en deux mots) ; **retrouvés** (accord avec **animaux**) ; **peut-être** (adverbe, avec trait d'union, et non présent de « pouvoir être ») ; **craques** (**mensonges**, dans la langue familière ; un crack était un cheval fameux et, par extension, un champion).

# SENIORS

# Tests 1987

**1.** Quels noms sont mal orthographiés ?

☐ un fusin     ☐ un balladin     ☐ un instint
☐ un larcin     ☐ un boucquetin     ☐ un baldaquin
☐ le levain     ☐ un scrutin     ☐ un strapomtin

**2.** Retrouvez les noms féminins...

☐ méandre     ☐ atmosphère
☐ alambic     ☐ globule
☐ ère     ☐ hormone
☐ ambre     ☐ épisode

**3.** Rayez les *e* fautifs...

un déploiement                      une scierie
une voierie                         une soierie
une métaierie                       une plaidoierie
un remerciement                     un dévouement

**4.** Laquelle de ces phrases est mal orthographiée ?

☐ Elle est belle et bien revenue me voir.
☐ Elle l'a échappé belle.
☐ Elle a recommencé de plus belle.

**5.** Retrouvez les participes passés fautifs...

Quand elles se sont levé, elles ne se sont pas regardées : l'une s'est lavé les mains, puis se les est essuyé, sans que l'autre se soit retourné.

**6.** Quels noms sont mal orthographiés ?

☐ des mille-pattes             ☐ des sans-gêne
☐ des trois-mâts               ☐ des porte-serviettes
☐ des quatre-feuilles          ☐ des porte-parapluies
☐ des sans-abri                ☐ des porte-plumes
☐ des sans-culotte

**7.** Choisissez le mot correct :

une
☐ tierse

☐ tierce
personne

une solution
☐ adéquat
☐ adéquate

des azalées
☐ fleuries
☐ fleuris

des amphores
☐ grecques
☐ grecs

des arrhes
☐ versées
☐ versés

des feuilles
☐ caducs
☐ caduques

**8.** Quelles phrases sont mal orthographiées ?

☐ Ils ont laissé les chiens jouer dans la cour.
☐ Les recueils dont ces poèmes ont été extrait appartenaient à un bibliophile.
☐ Pourquoi toi qui d'habitude agit calmement t'emportes-tu si vivement aujourd'hui ?

**9.** Choisissez le mot qui convient :

**Quoi qu'il / Quoiqu'il** advienne, venez me voir.
Il ne comprend pas votre langue **parce qu'il / par ce qu'il** est étranger.
Il est sérieux, **quoique / quoi que** parfois fantasque.
**Quelle que / Quelque** soit l'heure, frappez à la porte !
**Quels qu'aient / Quelqu'aient** été ses sentiments, il s'est tu.

**10.** Choisissez le verbe correctement conjugué :

Mieux valait qu'elle **s'inscrivit / s'inscrivît** immédiatement au concours.
Bien qu'il **grêlât / grêla,** il **sortît / sortit.**
La fête **dura / durât** jusqu'à ce que l'héroïne **partît / partit.**
Tout le monde s'ennuyait quand **survint / survînt** un drôle de visiteur.

**11.** À l'impératif présent, certains de ces verbes sont mal orthographiés, lesquels ?

☐ Assailles cette ville !  ☐ Bats ce tapis !
☐ Revêts ce manteau !  ☐ Vas t'inscrire !
☐ Acquière cette maison !  ☐ Résous ce problème !
☐ Pourvois à ses besoins !  ☐ Recouds ce bouton !

**12.** Dans le texte suivant, retrouvez et comptez les fautes (voir modalités p. 13)...

Quant on se promène sur les apontements, entre les encres et les grapins rouillés, parmi les filets sèchant le long des quais, on peut apercevoir un vieux loup de mer septuagennaire au visage balâfré. Revêtu de son kaban élimé au col, il tire sur sa sampiternelle pipe qu'il a rapporté d'un ilôt coralien et narre infatiguablement les forts passionnants épisodes qui ont jalonnés sa vie de marin.

# *Réponses 1987*

**1.** Il faut écrire : fusain, baladin, bouquetin, instinct, strapontin.

**2.** Sont du genre féminin les mots : **ère, atmosphère, hormone.**

**3.** Le *e* ne devait pas figurer dans les trois mots suivants : une plaidoirie, une voirie, une métairie.

**4.** Il faut écrire : « Elle est bel et bien revenue me voir. »

**5.** Texte corrigé : « Quand elles se sont levées, elles ne se sont pas regardées : l'une s'est lavé les mains, puis se les est essuyé**es,** sans que l'autre se soit retournée. »

**6.** Il faut écrire : des sans-culotte**s** et des porte-plume.

**7.** Les mots corrects sont :

**tierce** ; **adéquate** ; **fleuries** ; **grecques** ; **versées** ; **caduques.**

**8.** Seule la première phrase est correctement orthographiée.
Il faut écrire : « Les recueils dont ces poèmes ont été extrait**s** appartenaient à un bibliophile » ; et pour la troisième phrase : « Pourquoi toi qui d'habitude agi**s** calmement t'emportes-tu si vivement aujourd'hui ? »

**9.** Il faut retenir les formes suivantes : **quoi qu'il** ; **parce qu'il** ; **quoique** ; **quelle que** ; **quels qu'aient.**

**10.** Les verbes suivants sont correctement conjugués : **s'inscrivît** ; **grêlât** et **sortit** ; **dura** et **partît** ; **survint.**

**11.** Il faut écrire à l'impératif présent : Assaill**e** cette ville ! Acquier**s** cette maison ! **Va** t'inscrire !

**12.** Voici le texte corrigé, dans lequel il fallait trouver **15** fautes :

Quand on se promène sur les appontements, entre les ancres et les grappins rouillés, parmi les filets séchant le long des quais, on peut apercevoir un vieux loup de mer septuagénaire au visage balafré. Revêtu de son caban élimé au col, il tire sur sa sempiternelle pipe qu'il a rapportée d'un îlot corallien et narre infatigablement les **fort** passionnants épisodes qui ont jalonné sa vie de marin.

# *Tests 1988*

**1.** Quels mots s'emploient toujours au pluriel ?

- ☐ fiançailles
- ☐ oripeaux
- ☐ rails
- ☐ braises
- ☐ soucis
- ☐ ambages
- ☐ prémices
- ☐ pénates

**2.** Certains mots sont mal orthographiés, retrouvez-les...

- ☐ hématome
- ☐ symptome
- ☐ ophthalmologie
- ☐ collibacille
- ☐ panacée
- ☐ œdème
- ☐ homéopatie
- ☐ ecchymose
- ☐ pédiatrie
- ☐ syncope
- ☐ pharmacopée
- ☐ cutie

**3.** Quels mots ou expressions prennent un ou des traits d'union ?

☐ un maître d'œuvre
☐ une banquette arrière
☐ les trois quarts du temps

☐ un cessez le feu
☐ un garde à vous
☐ à demi mot

**4.** Combien de fois la lettre *h* manque-t-elle dans ce texte ?

Dans le Massif rénan, j'ai visité tous azimuts des termes où des baigneurs létargiques venaient soigner leurs rumatismes. Il y avait des Ganéens, des Guatémaltèques, et même un Français ernieux tout ébété de me rencontrer.

**5.** Quelle phrase est mal orthographiée ?

☐ Elles se sont reproché leurs erreurs, puis elles se sont réconciliées.
☐ Ils s'étaient fait les champions du rire.
☐ Aujourd'hui, cet homme ne pèse plus les cent kilos que jadis il a pesé.

**6.** Quelles phrases sont mal orthographiées ?

☐ Quoique le dernier sondage lui fût favorable, ce candidat n'a pas été élu.

☐ C'est à la fin de la compétition que l'athlète confia ses impressions.

☐ Elles seraient bien allées au théâtre, si tant est qu'il s'y joua une comédie.

☐ Les clientes exigèrent qu'on leur remboursa les objets défectueux qu'elles avaient achetés.

**7.** Quels mots sont mal orthographiés ?

☐ des gagne-petits
☐ des cache-cols
☐ des pommes de terre
☐ des petits-gris
☐ des casse-cous

☐ des trompes-la-mort
☐ des tout-petits
☐ des casse-têtes
☐ des arcs-en-ciel

**8.** Quels mots, selon les ouvrages de référence des Championnats, peuvent présenter une autre orthographe que celle qui figure ci-dessous ?

☐ un jaquemart
☐ un mufle
☐ un ornithorynque
☐ un zigzag
☐ un acupuncteur

☐ un chaînon
☐ un cola
☐ un pied-droit
☐ un teck

**9.** Quels groupes de mots sont mal orthographiés ?

☐ des reflets verts clairs   ☐ des laines beiges

☐ des yeux noisettes
☐ des pétales roses
☐ des sacs mauves
☐ des fumées bleuâtres

☐ des écharpes turquoises
☐ des tons indigos
☐ des rayures oranges

**10.** Pour chaque mot, choisissez la bonne ortho-graphe...

☐ une papilionacée
☐ une papillionacée
☐ une papillonnacée

☐ un tintammare
☐ un tintamarre
☐ un tintamare

☐ un amphytrion
☐ un amphitryon
☐ un amphytryon

☐ un attermoiment
☐ un atermoiment
☐ un atermoiement

**11.** Choisissez la bonne conjugaison...

Nous craignons que ce détracteur ne **nuise / nuit** à la réputation de notre entreprise.

Il nous réveilla de bonne heure, de peur que nous ne **soyons / soyions** en retard.

Pour retrouver la bonne route, il eût fallu qu'on nous **raccompagna / raccompagnât.**

**12.** Quelle phrase est mal orthographiée ?

☐ Il nous parla des dangers qu'il avait courus.

☐ Je ne vous révèle pas combien de réunions il a fallu avant de mettre nos partenaires d'accord.

☐ L'étape du jour est plus courte qu'on ne nous l'avait annoncée.

**13.** Dans le texte suivant, retrouvez et comptez les fautes (voir modalités p. 13)...

Quoi qu'on n'eût peu l'envie de rire ce jour là, on se laissa déridé par des chinpanzés délurés et des gibons bien grimaçant. En effet, ces anthropoïdes s'étaient plus à provoquer un de ses remue-ménages dans le zoo ! Jugez un peu : trente et un sacs de siure avaient été transpercée, les jacquettes des gardiens éfaufilés et les visiteurs s'étaient laissés distribuer des billets grâcieusement.

Manquant d'un sujet substanciel, des journalistes éclecthiques s'étaient rués vers ledit zoo et écrivaient à la volée ce qui auraient pu constituer des mémoires passionnantes sur le sujet, et, comme on craignait que l'actualité ne se présenta sous de mauvaises auspices, on fit là une avec cette joyeuse équipe.

# _Réponses 1988_

**1.** Seuls **fiançailles, ambages, prémices** et **pénates** s'emploient toujours au pluriel.

**2.** Il faut écrire : symptôme (mais symptomatique) ; ophtalmologie ; colibacille ; homéopathie ; cuti.

**3.** Seuls un cesse**z-le-f**eu, un garde**-à-v**ous et à demi-mot prennent des traits d'union.

**4.** La lettre _h_ manque 7 fois : rhénan, thermes, léthargiques, rhumatismes, Ghanéens, hernieux, hébété.

**5.** La deuxième phrase comportait une faute : « Ils s'étaient faits les champions du rire. » Ici, **faits**

s'accorde avec le complément d'objet direct **s'**, placé avant le verbe.

**6.** La troisième et quatrième phrase étaient mal orthographiées.

« Elles seraient bien allées au théâtre, si tant est qu'il s'y jouât une comédie. » La locution **si tant est que** entraîne le subjonctif ; ici : jou**ât**.

« Les clientes exigèrent qu'on leur remboursât les objets défectueux qu'elles avaient achetés. » Après le verbe de volonté **exiger** dans la principale, le subjonctif s'impose dans la subordonnée.

**7.** Il faut écrire : des gagne-peti**t** (qui gagnent petitement : verbe et adverbe), des trompe-la-mort, des cache-col, des casse-tête et des casse-co**u** (on casse une tête ou un cou à chaque fois).

**8.** On peut écrire : un **jaquemart** ou un **jacquemart** ; un **acupuncteur** ou un **acuponcteur** ; un **cola** ou un **kola** ; un **teck** ou un **tek** ; un **pied-droit** ou un **piédroit**.

Les autres mots ne possèdent qu'une orthographe.

**9.** Les groupes de mots fautifs sont : des reflets ver**t** clair (lorsqu'un adjectif de couleur est suivi d'un autre adjectif qui le modifie, l'ensemble est invariable et ne prend pas de trait d'union). De même, un nom commun utilisé comme adjectif est invariable : des yeux noisette, des écharpes turquoise, des tons indigo, des rayures orange. Font ici exception **roses** et **mauves** qui s'accordent.

**10.** La bonne orthographe est : une **papilionacée**, un **tintamarre**, un **amphitryon**, un **atermoiement**.

**11.** Les verbes doivent être conjugués ainsi : **nuise** (après un verbe exprimant la crainte, on met le subjonctif) ; **soyions** (la graphie « soyons » n'existe pas et elle est donc employée à tort) ; **raccompagnât** (**falloir** dans la principale entraîne le subjonctif dans la subordonnée).

**12.** La troisième phrase était fautive : « L'étape du jour est plus courte qu'on ne nous l'avait annoncé. » Raisonnement : on nous avait annoncé quoi ? sous-entendu : « le fait que l'étape du jour serait plus longue », exprimé par le pronom neutre **l'** ; donc **annoncé** est invariable.

**13.** Voici le texte corrigé dans lequel il fallait trouver **22** fautes.

Quoiqu'on eût peu l'envie de rire ce jour-là, on se

laissa dérider par des chimpanzés délurés et des gib-
bons bien grimaçants. En effet, ces anthropoïdes
s'étaient plu à provoquer un de ces remue-ménage
dans le zoo ! Jugez un peu : trente et un sacs de sciure
avaient été transpercés, les jaquettes des gardiens
éfaufilées et les visiteurs s'étaient laissé distribuer
des billets gracieusement.

Manquant d'un sujet substantiel, des journalistes
éclectiques s'étaient rués vers ledit zoo et écrivaient
à la volée ce qui aurait pu constituer des mémoires
passionnants sur le sujet, et, comme on craignait que
l'actualité ne se présentât sous de mauvais auspices,
on fit la une avec cette joyeuse équipe.

Commentaires :

• **quoiqu'** : en un mot au sens de « bien que » ;
**quoiqu'on eût** : pas de négation avec **peu**.

• **grimaçants** : précédé de l'adverbe **bien**, **grimaçants** est adjectif verbal, donc s'accorde.

• **plu** : participe passé invariable parce que le verbe
**plaire** est transitif indirect à la voix active.

• **ces remue-ménage** : mot composé invariable ; **ces**
est ici adjectif démonstratif.

• **laissé** : invariable parce que ce ne sont pas **les visiteurs** (sujet) qui ont fait l'action de distribuer.

• **gracieusement** : pas d'accent circonflexe sur le *a*,
bien que dérivé de **grâce**.

• **mémoires passionnants** : que ce soit au sens de « souvenirs » – le mot prend alors une majuscule et ne s'emploie qu'au pluriel – ou au sens de « rapport scientifique », **mémoire(s)** est masculin.

• **mauvais auspices** : **auspices** est du genre masculin.

• **la une** : **la** est article défini et **une** désigne la première page d'un journal.

# Tests 1989

**1.** Quels noms sont mal orthographiés ?

- ☐ un Réunionnais
- ☐ un Kabyle
- ☐ un Phillipin
- ☐ un Portuguais
- ☐ un Yéménitte

- ☐ un Australien
- ☐ un Gabonnais
- ☐ un Japonais
- ☐ un Commorien

**2.** Trouvez les phrases mal orthographiées...

- ☐ Ils ont abordé le sujet tous de go.
- ☐ Elle est toute heureuse de le revoir.
- ☐ Nous parlons des tout derniers livres parus.
- ☐ C'est une tout autre question.
- ☐ Elle est toute à la fois sage et ignorante.

☐ Voilà une émission tout-à-fait réussie.
☐ Il était tout ouïe.

**3.** Choisissez le mot correct...

☐ pineau
☐ pinot
des Charentes

☐ cuissot
☐ cuisseau
de veau

☐ crack
☐ krach
☐ crac
boursier

☐ penne
☐ pêne
☐ peine
de la porte

**4.** Quelles locutions ou expressions sont mal orthographiées ?

☐ être vieux comme Mathusalem
☐ franchir le Rubicond
☐ être comme l'âne de Buridan

☐ être fier comme Artabans
☐ le colosse de Rhode
☐ l'Hydre de Lerne
☐ le mythe de Sysiphe
☐ le jardin des Espérides

**5.** Quelles phrases sont mal orthographiées ?

☐ Se sont-ils tus ou se sont-ils esclaffés ?
☐ Se sont-ils plus ou se sont-ils haïs ?
☐ Combien de candidats se sont présentés aux élections sans être élus ?
☐ Ils se sont lancés des injures et se sont traités de tous les noms.

**6.** Combien de fois la lettre *s* manque-t-elle dans cette phrase ?

Entre chien et loup, des boute-en-train assis sous des chêne-liège dégustaient des saint-pierre en agitant des chasse-mouche devant des chat-huant et des loup-cervier enfermés dans les cages d'un zoo.

**7.** Quelles sont les phrases fautives ?

☐ Soyiez prêts !            ☐ Va là-bas !
☐ Offre-s-en !              ☐ N'aie pas peur !
☐ Laves-toi !               ☐ Ne mens pas !

☐ Parle lui en !                ☐ Retournez-y !
☐ Donnez-m'en !

**8.** Quelles phrases sont mal orthographiées ?

☐ Quelque dix mille personnes assistaient à ce concert.
☐ Que se passera-t-il dans deux cent millions d'années ?
☐ Ce tableau vaut deux cent mille francs.
☐ Le signet est placé à la cent-dixième page.
☐ À la page trois cents arrive le dénouement de l'histoire.

**9.** Voici douze mots désignant des jeux. Certains sont mal orthographiés ; lesquels ?

☐ colin-maillard                ☐ belotte
☐ trente-et-quarante            ☐ zanzibart
☐ logogriffe                    ☐ râmi
☐ quatre-cents-vingt-et-un      ☐ jaquet
☐ go                            ☐ tric-trac
☐ Scrabble                      ☐ baccarat

**10.** Dans le texte suivant, retrouvez et comptez les fautes (voir modalités p. 13)...

Arc-boutés sous des monceaux de bagages barriolés, des baladeurs tonitruants sur les oreilles, ces passagères arrivant de Buenos Aires s'étaient pressées vers les rembardes de la sortie de l'aréogare. Quoi qu'elles aient eues des nerfs d'acier et aient esquissées quelques déhanchements au son d'une samba, elles s'étaient succédées à la douane à reculon. En effet, bien qu'elles se fussent offusquées qu'on fouilla si fièvreusement leurs effets, on eut cure des avis de chacune d'elles.

Cependant, les douaniers durent constater qu'entre trois pull-over rouilles et deux nappes effaufilées, elles n'avaient rien qui fut compromettant.

# Réponses 1989

**1.** Il faut écrire : un Philippin, un Portugais, un Gabonais, un Comorien, un Yéménite. Notez que **Réunionnais**, comme **Toulonnais**, prend deux *n* alors que **Japonais** et **Gabonais** n'en prennent qu'un.

**2.** Les phrases suivantes étaient mal orthographiées. « Ils ont abordé le sujet tout de go. » La locution **tout de go** est invariable.

« Elle est tout heureuse de le revoir. »

« Elle est tout à la fois sage et ignorante. »

« Voilà une émission tout à fait réussie. »

**Tout,** adverbe, devant une voyelle ou un *h* muet, reste invariable ; devant une consonne ou un *h* aspiré, il

prend un *e* final s'il est suivi d'un adjectif au féminin.
Exemples : elle était tout**e** bronzée, tout**e** honteuse.

**3.** Le **pineau** des Charentes (mais le **pinot**, cépage
de Bourgogne) ; le **cuisseau** de veau (mais le **cuissot**
de chevreuil) ; le **krach** boursier (mais un **crack**,
cheval gagnant, **crac !**, interjection, le **krak** des Che-
valiers), le **craque** (mensonge) ; le **pêne** de la serrure
d'une porte (mais la **penne**, grande plume, et la
**peine**, chagrin).

**4.** Il faut écrire : franchir le Rubico**n** (ne pas confondre
avec l'adjectif **rubicond**, très rouge de peau) ; être
fier comme Artaba**n** ; le colosse de Rhode**s** ; le mythe
de Sisyph**e** ; le jardin des **H**espérides.

**5.** Les deuxième et quatrième phrases étaient fautives.
« Se sont-ils pl**u** ou se sont-ils haïs ? » **Plu**, participe
passé du verbe **plaire**, est invariable, car il ne peut
avoir de complément d'objet direct.
« Ils se sont lanc**é** des injures et se sont traités de
tous les noms. » Ils ont lancé des injures à **se**, c'est-
à-dire à « eux-mêmes », complément d'objet indirect,
donc **lancé** est invariable.

**6.** Il manquait **7** *s*.
Entre chien et loup, des boute-en-train assis sous des

chênes-lièges dégustaient des saint-pierre en agitant des chasse-mouches devant des chats-huants et des loups-cerviers enfermés dans les cages d'un zoo.

**7.** Les phrases suivantes étaient mal orthographiées : « Soyez prêts ! » ; « Offres-en ! » ; « Lave-toi ! » ; « Parle-lui-en ! »

**8.** Les phrases suivantes étaient mal orthographiées : « Que se passera-t-il dans deux **cents** millions d'années ? » **Cent** multiplié par **deux** et suivi du nom **millions** prend la marque du pluriel.
« Le signet est placé à la cent **d**ixième page. » Pas de trait d'union.
« À la page trois cent arrive le dénouement de l'histoire. » Employé ici comme adjectif numéral ordinal, **cent** demeure invariable.

**9.** Il faut écrire : le logogri**ph**e ; le quatre-cen**t**-vingt-et-un ; la belote ; le zanziba**r** ; le rami ; le jacquet ; le tric**t**rac ; le baccara (à ne pas confondre avec le **baccarat**, cristal).

**10.** Voici le texte corrigé dans lequel il fallait trouver **16** fautes :

Arc-bout**ées** sous des monceaux de bagages bariolés, des baladeurs tonitruants sur les oreilles, ces passagères arrivant de Buenos Aires s'étaient pressées vers les rambardes de la sortie de l'a**é**rogare. **Quoi-qu'**elles aient **eu** des nerfs d'acier et aient esquiss**é** quelques déhanchements au son d'une samba, elles s'étaient succéd**é** à la douane à reculons. En effet, bien qu'elles se fussent offusquées qu'on fouillât si fi**é**vreusement leurs effets, on **n'**eut cure des avis de chacune d'elles.

Cependant, les douaniers durent constater qu'entre trois pull-overs rouille et deux nappes **é**faufilées, elles n'avaient rien qui f**û**t compromettant.

Commentaires :

• **arc-boutées** : participe passé mis en apposition au sujet, s'accorde avec **ces passagères**.

• **aérogare** : le début de ce mot ne doit pas être confondu avec celui d'**aréopage**.

• **quoiqu'** : en un seul mot, conjonction signifiant « bien que », doit être distinguée de **quoi qu'**(il en soit).

• **eu** et **esquissé** : invariables, car les compléments d'objet directs avec lesquels ils auraient pu s'accorder sont placés après le verbe.

• **succédé** : participe passé du verbe pronominal **se succéder** qui demeure invariable car il ne peut avoir de complément d'objet direct.

- **n'eut cure de** : cette locution n'existe que sous la forme négative.
- **pull-overs** : les mots étrangers restent invariables dans les noms composés, en règle générale. **Pull-overs** fait partie des exceptions et prend un *s* final au second élément.
- **rouille** : ce nom, utilisé comme adjectif de couleur, demeure invariable.

# *Tests 1990*

**1.** Voici dix noms de villes célèbres. Lesquels sont mal orthographiés en français ?

☐ Stockholm
☐ Beyrouth
☐ Lisbone
☐ Ottawa
☐ Camberra

☐ Papete
☐ Athènes
☐ Nicosie
☐ Khartoum
☐ Helsinky

**2.** Attribuez leur origine aux noms suivants :

leitmotiv         espagnole
nunatak          esquimaude
améthyste     italienne
moka             arabe

contrebande　　　grecque
conquistador　　　allemande

**3.** Quelles phrases sont incorrectes ?

☐ Consciencieusement, il n'achetait qu'à bon escient.
☐ Je vous serais gré de bien vouloir me répondre.
☐ En ce moment, il a des ennuis pécuniers.
☐ Il arrive à cet homme d'être très dur, voire tyrannique.

**4.** Dans chaque série de mots, trouvez l'intrus :

| Famille de « pierre » | de « verre » | de « sel » |
|---|---|---|
| ☐ pétrole | ☐ verglas | ☐ salaire |
| ☐ pétrin | ☐ vitriol | ☐ selle |
| ☐ perron | ☐ verrou | ☐ salpêtre |

**5.** Quel est le sens réel de chacune de ces deux expressions ?

Le tonneau des Danaïdes, c'est...
☐ un vin grec millésimé
☐ une personne au fort embonpoint
☐ une tâche infinie, interminable

Avaler des couleuvres, c'est...
☐ mettre les bouchées doubles
☐ croire n'importe quoi
☐ protéger des malfaiteurs

**6.** Dans le texte suivant retrouvez et comptez les fautes (voir modalités p. 13)...

Combien d'entre nous n'ont pas rêvés d'aller se rôtir les orteils au soleil des Saychelles, de lire des poésies en Gaspézie, de faire les cents pas sur l'Hymmalaya ou de jouer les m'as-tu-vus à Onolulu ! C'est chose presque faîte ! Jettez-vous sur les tous derniers atlas, ruez-vous vers des planisphères colorées, dévorez les prospectus des agences de voyage : vous y serez déjà. Tant d'images se seront succédées devant vos yeux toute à la fois exhorbités et ravis que vous aurez l'impression, avouez-le, d'avoir accompli la première étape du voyage.

# Réponses 1990

**1.** Il faut écrire : Lisbonne (Portugal), avec deux *n* ; Canberra (Australie), un *n* devant le *b* ; Papeete (Tahiti) avec trois *e* ; Helsinki (Finlande) avec deux *i*.

**2. Conquistador** vient de l'espagnol et signifie « conquérant » ; **nunatak** est un mot esquimau et désigne, en géographie, une saillie rocheuse ; **contrebande** vient de l'italien *contrabbando* et signifie « contre le ban » ; **moka** est issu du nom propre Moka, port d'Arabie ; **améthyste** vient du grec *amethystus* au sens de « sans l'ivresse » ; **leitmotiv,** mot allemand, signifie « motif conducteur ».

**3.** Attention aux barbarismes contenus dans les deuxième et troisième phrases ! On doit dire et écrire : « Je vous s**au**rais gré » (du verbe **savoir**), et non « je vous serais gré » (**être**) ; « En ce moment il a des ennuis pécun**iaires** », et non « des ennuis pécu-**niers** ».

**4.** Famille de **pierre** : seul **pétrin**, venant du latin *pistrinum* (« moulin à blé, boulangerie »), n'en fait pas partie.
Famille de **verre** : l'intrus est **verrou**, qui appartient à la famille de **vérin**.
Famille de **sel** : l'intrus est **selle**, venant du latin *sella* (« selle »).

**5. Le tonneau des Danaïdes** désigne **une tâche infi-nie, interminable ; avaler des couleuvres**, c'est **croire n'importe quoi**, ou encore **subir des affronts sans protester**.

**6.** Voici le texte corrigé, dans lequel il fallait trou-ver **16** fautes :

Combien d'entre nous n'ont pas rêv**é** d'aller se rôtir les orteils au soleil des Seychelles, de lire des poésies en Gaspésie, de faire les cen**t** pas sur l'**Hi**malaya ou de jouer les m'as-tu-v**u** à **H**onolulu ! C'est chose presque fai**t**e ! Jetez-vous sur les tou**t** derniers atlas, ruez-vous vers des planisphères color**é**s, dévorez les prospectus des agences de voyages : vous y serez déjà. Tant d'images se seront succédé devant vos yeux tout à la fois exorbités et ravis que vous aurez l'impression, avouez-le, d'avoir accompli la première étape du voyage.

Commentaires :

• **rêvé** : passé composé du verbe **rêver** ; le participe passé **rêvé** reste invariable, puisque c'est toute la proposition infinitive qui est complément d'objet indirect (« aller se faire rôtir... »).

• **cent** : dans la locution **faire les cent pas**, **cent** est invariable, car, comme **vingt**, cet adjectif numéral ne prend la marque du pluriel que lorsqu'il est précédé d'un multiple et qu'aucun chiffre ou nombre ne le suit (**deux cents**, **quatre-vingts**).

• **m'as-tu vu** : nom invariable formé à partir de l'interrogation « m'as-tu vu ? » que se posent entre eux des acteurs évoquant leurs succès.

• **faite** : il s'agissait ici de l'adjectif **fait**, au féminin singulier, à ne pas confondre avec son homonyme le nom masculin **faîte**, « sommet ».

• **jetez** : ne prend qu'un *t* (mais on écrira **jette** avec deux *t*).

• **tout** : adverbe signifiant « tout à fait, entièrement », **tout** est invariable dans **tout derniers** (et aussi, plus loin, dans **tout à la fois**).

• **colorés** : l'adjectif s'accorde avec le nom masculin **planisphères**.

• **voyages** : avec un *s* (agence qui vend des voyages), **compagnie d'assurances** suit la même règle.

• **succédé** : le participe passé **succédé** reste, dans tous les cas, invariable, puisque le verbe **succéder** (qu'il soit employé pronominalement ou à la voix active) n'a jamais de complément d'objet direct (on succède à).

• **exorbités** : ce mot dérivé d'**orbite** ne prend pas de *h*.

• **accompli** : participe passé employé avec l'auxiliaire **avoir** : il est invariable, car son complément d'objet direct, **la première étape du voyage**, est placé après.

# *Tests 1991*

**1.** Quelles phrases sont incorrectes ?

☐ Ci-joint, vous trouverez les photos de nos dernières vacances.

☐ Elle doit me téléphoner à onze heures sonnant.

☐ Avec une inclinaison de la tête, il me pria de me retirer.

☐ Il préfère aller voir un film plutôt que de rester seul chez lui.

☐ Il a pardonné son fils de ne pas avoir réussi aux championnats.

**2.** Parmi les affirmations, démêlez le vrai du faux...

|  | vrai | faux |
|---|---|---|
| Le verbe succomber n'a jamais de complément d'objet direct. | ☐ | ☐ |
| Bijou, caillou, genou, pou, hibou, joujou sont les seuls mots en -*ou* à prendre un *x* au pluriel. | ☐ | ☐ |
| Zigzag, micmac, glouglou s'écrivent toujours en un seul mot. | ☐ | ☐ |
| Au pluriel, ex aequo prend un *s* final. | ☐ | ☐ |
| Croît peut être un nom commun. | ☐ | ☐ |
| Prévaux n'est pas une forme de l'impératif présent du verbe prévaloir. | ☐ | ☐ |
| La phrase « Ils se sont passés de manger », est bien orthographiée. | ☐ | ☐ |
| Le mot étymologie peut avoir deux orthographes. | ☐ | ☐ |

**3.** Quels mots ne prennent pas d'accent circonflexe ?

☐ drôlatique
☐ symptômatique
☐ fantômatique
☐ arômatique
☐ incontrôlable

☐ une pâtée
☐ un diplôme
☐ un déjeûner
☐ une disgrâce
☐ une encâblure

**4.** Les mots en vis-à-vis ont-ils un rapport direct ?
(Méfiez-vous des homonymes.)

☐ chimie          cilice
☐ astronomie     éclipse
☐ océanographie   plancton
☐ politique        ballottage
☐ finances        krak
☐ littérature      laie

**5.** Dans le texte suivant, retrouvez et comptez les
fautes (voir modalités p. 13)...

Les aventuriers, ayant aperçus au loin des rougeoi-
ments, s'étaient frayés un chemin à travers des lianes
entrelassées et des tiges enchevêtrées qu'ils avaient
coupés à la hâche. Les cris stridents des oiseaux brun-
rouge, qu'interrompait le feûlement d'un lion et le
barissement d'un éléphant, semblaient s'être uni pour
appeurer ces hommes qui se suivaient en file indienne
par des sentiers impratiquables. Qu'allait-il trouver
au bout du chemin ?

# Réponses 1991

**1.** On doit écrire la deuxième phrase ainsi : « Elle doit me téléphoner à onze heures sonnan**tes** », cependant on peut admettre sonnan**t** (considéré comme participe présent). La troisième phrase est fautive, et on doit écrire « avec une inclin**ation** de la tête il me pria de me retirer », car si le fait pour un objet de se trouver dans une position inclinée est une **inclinaison**, incliner la tête pour faire un signe à quelqu'un constitue une **inclination**. La cinquième phrase s'écrit ainsi : « Il a pardonné **à** son fils de ne pas avoir réussi aux championnats. »

**2.** Affirmations vraies. Le verbe **succomber** n'a jamais de complément d'objet direct.

Zigzag, micmac et glouglou s'écrivent en un seul mot.

**Croît** est un nom commun masculin (signifiant en agriculture « augmentation d'un troupeau par les nouveaux animaux nés chaque année »).

La phrase **« Ils se sont passés de manger »** est bien orthographiée.

### Correction des autres affirmations

**Faux.** Il manquait le mot **chou** dans l'énumération des noms en *-ou* qui prennent un *x* au pluriel.

**Ex aequo** est toujours invariable.

**Prévaux** est une forme de l'impératif présent du verbe **prévaloir**.

Enfin, **étymologie** ne s'écrit que d'une façon.

**3.** Ne prennent pas d'accent circonflexe : drolatique, symptomatique, fantomatique, aromatique, déjeuner, encablure.

**4. Éclipse** se rapporte bien au domaine de l'astronomie, **plancton** à celui de l'océanographie, et **ballottage** à celui de la politique. En revanche, **cilice** (« chemise, ceinture de crin ») ne se rapporte pas à la chimie (c'est **silice**), pas plus que **krak** (« château fort des croisés en Orient ») aux finances (c'est **krach**) ; enfin, ce n'est pas la **laie** (femelle du sanglier) mais le **lai** (poème du Moyen Âge) qui se rapporte à la littérature.

**5.** Voici le texte corrigé dans lequel il fallait trouver **14** fautes :

Les aventuriers, ayant aperç**u** au loin des rougeoie-ments, s'étaient fray**é** un chemin à travers des lianes entrelac**é**es et des tiges enchevêtrées qu'ils avaient coup**é**es à la hache. Les cris stridents des oiseaux brun-rouge, qu'interromp**aient** le feulement d'un lion et le bar**r**issement d'un éléphant, semblaient s'être unis pour apeurer ces hommes qui se suivaient en file indienne par des sentiers impraticables. Qu'allai**ent-**ils trouver au bout du chemin ?

Commentaires :
• **aperçu** : participe passé employé avec l'auxiliaire **avoir** ; demeure invariable, car le complément d'objet direct **des rougeoiements** est placé après.
• **rougeoiements** : nom qui est formé sur **rougeoyer**, plus la suffixation en **-ement** (comme **flamboyer** donne **flamboiement**).
• **frayé** : participe passé d'un verbe accidentellement pronominal. Ils avaient frayé quoi ? **un chemin**, complément d'objet direct placé après, donc pas d'accord.
• **entrelacées** : composé de **entre-** et du verbe **lacer**, donc **c**.
• **coupées** : ils avaient coupé quoi ? « **qu'** », ayant pour antécédent **les lianes** et **les tiges**, compléments

d'objet directs placés avant le verbe, donc accord avec ces deux substantifs féminins.

• **hache** : pas d'accent circonflexe sur le *a*.

• **interrompaient** : s'accorde avec les sujets inversés **le feulement** et **le barrissement**.

• **feulement** : pas d'accent sur le *u*. En règle générale, on emploie le verbe **feuler** à propos d'un tigre ou d'un chat, mais il peut s'appliquer également aux animaux de la même famille.

• **barrissement** : prend deux *r*, comme le verbe **barrir**.

• **unis** : les cris semblaient avoir uni qui ? « **s'** », mis pour « eux-mêmes », donc participe passé au masculin pluriel.

• **apeurer** : verbe figurant dans la liste des quelques verbes commençant par *ap-* et ne prenant qu'un *p*, comme **apercevoir, apitoyer, apaiser**.

• **impraticables** : adjectif formé sur **pratiquer**, plus la suffixation en *-able*. Seuls s'écrivent en *-quable* les adjectifs qui se rattachent à un verbe en *-quer* n'ayant pas de dérivé en *-cation* (**remarquer** et **remarquable**). Exception : **pratiquer** (**praticable, impraticable**).

• **qu'allaient-ils** : d'après le sens, il s'agit des **aventuriers**, donc **ils allaient**.

# Tests 1993

**1.** Dans le texte suivant, retrouvez et comptez les fautes (voir modalités p. 13)...

Armées des plumes les plus acerrées et utilisant les ancres les plus indélèbiles, ils vont faire des pieds de nez aux accords des participes passés. Leurs meilleurs alliers : les dictionnaires – ou les dicos, comme on se plait à les appeller –, de vrais copins qu'ils retrouvent acidument et dans lesquels ils furètent en long, en large et en travert pour assoir leur bonheur intellectuel.

**2.** Dans ces phrases, doit-on écrire ban ou banc ?

On avait convoqué le ... et l'arrière-... .
Le chef de la fanfare ordonna de fermer le ... .

Ces hommes sont placés au ... des accusés.
Ceux-là ne se retrouvent pas pour autant au ... de la société.

**3.** Les filles à leur naissance sont des :

☐ nouveau-nées
☐ nouvelles-nées
☐ nouvelle-nées
☐ nouveaux-nées

**4.** Le refus d'un juge ou d'un tribunal de rendre justice à quelqu'un est un :

☐ déni de justice
☐ délit de justice
☐ démis de justice

**5.** À laquelle de ces régions administratives françaises manque-t-il un *s* ?

☐ Poitou-Charente
☐ Champagne-Ardenne

**6.** Dire de quelqu'un qu'il connaît les « êtres d'une maison », c'est dire qu'il en connaît les :

☐ habitants
☐ lieux et leur disposition

**7.** « J'ai vendu un vieux livre au bouquiniste qui est tout roussi. » Cette phrase contient-elle un :

☐ barbarisme
☐ janotisme
☐ pléonasme

**8.** *La Rabouilleuse* est le titre d'un roman de Balzac. Le nom commun désigne :

☐ une femme qui travaille le cuir et façonne des selles pour les chevaux
☐ une femme qui touille l'eau avec un bâton pour prendre les poissons
☐ une femme qui ramasse dans les champs la rabouille, plante qui guérit les douleurs rhumatismales

# *Réponses 1993*

**1.** Voici le texte corrigé dans lequel il fallait trouver **11** fautes :

Armés des plumes les plus acérées et utilisant les encres les plus indélébiles, ils vont faire des pieds de nez aux accords des participes passés. Leurs meilleurs alliés : les dictionnaires – ou les dicos, comme on se plaît à les appeler –, de vrais copains qu'ils retrouvent assidûment et dans lesquels ils furètent en long, en large et en travers pour asseoir leur bonheur intellectuel.

Commentaires :
• **armés** : participe passé, apposé à **ils** ; l'accord se fait donc au masculin pluriel.

• **acérées** : deux *é* (accent aigu) et un seul *r*. **Acéré** est un adjectif formé sur **acier**, qui signifie « dur, tranchant, pointu ».

• **encres** : ne pas confondre **ancre** (de marine) avec son homonyme **encre** (pour écrire).

• **indélébiles** : deux accents aigus pour cet adjectif signifiant « ineffaçable ».

• **alliés** : substantif se terminant par *é*.

• **plaît** : le *i* du verbe **plaire** prend un accent circonflexe à la troisième personne du singulier du présent de l'indicatif (à la différence de **il tait**, du verbe **taire**, qui par ailleurs se conjugue de la même manière).

• **appeler** : ne prend qu'un *l* à l'infinitif, à la différence d'**interpeller** ; mais on écrit : **j'appelle**.

• **copains** : s'écrit avec un *a*, alors que le féminin est **copines**. Ce mot est issu de *compain*, « compagnon », qui désigne celui avec qui l'on partage le pain.

• **assidûment** : adverbe formé sur l'adjectif **assidu**. Il prend un accent circonflexe sur le *u*, comme **dûment**, car il s'écrivait jadis *assiduement*.

• **en travers** : du latin *transversus*, « oblique », le mot **travers** en conserve un *s* final.

• **asseoir** : le *e* de l'infinitif disparaît dans les formes conjuguées (**j'assois**). Le verbe **seoir**, « convenir », s'écrit également avec un *e*.

**2.** Dans la première phrase, il faut choisir la graphie **ban**, « corps de la noblesse », de même que dans la deuxième, « roulement de tambour », et que dans la quatrième, « bannissement ».
Dans la troisième, il fallait choisir **banc**, « banc des accusés », au tribunal.

**3.** Elles sont des **nouveau-nées** : dans ce nom composé, **nouveau**, considéré comme adverbe (« nouvellement »), demeure invariable. Seul l'adjectif **né(es)** s'accorde.

**4.** Il s'agit d'**un déni** : ce mot vient du verbe **dénier**, « refuser de reconnaître, d'accorder ». Un déni de justice est, de la part d'un juge, le refus de rendre justice à quelqu'un.

**5.** C'est **Charentes** qui doit être au pluriel ; la région comprend les deux départements de la Charente et de la Charente-Maritime ; en revanche, dans le nom de l'autre région administrative, **Ardenne** doit rester au singulier, car il ne s'agit pas du nom du département, mais du nom propre géographique désignant, plus largement, le massif boisé qui s'étend en France ainsi qu'au Luxembourg et en Belgique.

**6.** Connaître **les êtres d'une maison** est une expression consacrée dans laquelle les **êtres** désignent les lieux et leur disposition dans un bâtiment (voir les dictionnaires de référence, à l'entrée « êtres » ; du latin *extera*, « les parties extérieures », *estres* en vieux français). On a aussi écrit **aîtres**, par attraction du nom masculin singulier **aître** (porche d'église, galerie couverte de cimetière, etc.).

**7.** Un **janotisme**, ou **jeannotisme**, c'est-à-dire une construction maladroite qui amène un quiproquo burlesque. C'est le livre qui est « roussi », pas le bouquiniste !

**8. Rabouilleuse** vient du verbe **rabouiller** (1842), lui-même formé sur le dialectal berrichon *bouiller*, « bouillonner, troubler », de *bouille*, « marais ». La deuxième réponse est donc la bonne.

# *Tests 1994*

**1.** Dans le texte suivant, retrouvez et comptez les fautes (voir modalités p. 13)...

Quel que soit le musée qui les abritent, les chefs-d'œuvres de Pissaro, Sysley, Monnet ou Renoir auront la chance, en cette année du cent-vingtième anniversaire de l'impressionisme, de connaitre une nouvelle vie. On ne compte pas les expositions concommitantes ni les colloques qui seront organisées, ni les revues qui leur seront consacrés, ni les vidéos qui seront enregistrées à cette occasion. Ainsi, les maîtres de l'impression fugitive et de la couleur se verront toute à la fois fêtés et redécouverts.

**2.** Un procès-verbal est-il toujours écrit ?

☐ oui, obligatoirement
☐ non, puisque, justement, il est verbal

**3.** Dans un tribunal, qui prononce le réquisitoire ?

☐ l'avocat de la défense
☐ le procureur
☐ le juge

**4.** Lequel de ces mots ne désigne pas une lampe ?

☐ carcel         ☐ lamparo        ☐ photophore
☐ pholiote       ☐ quinquet

**5.** Prendre le contre-pied de, au sens abstrait de « être d'un avis contraire », est une expression qui trouve son origine...

☐ dans les sports de glisse : le skieur met un ski dans le sens inverse de l'autre pour faire demi-tour
☐ dans la vénerie : les chiens, s'étant trompés sur le sens de la fuite de la bête, en suivent les traces à rebours
☐ dans l'art de la danse : ne pas danser en accord avec son partenaire

**6.** Laquelle de ces trois personnes ne peut plus du tout parler ?

☐ celle qui présente une polypnée
☐ celle qui est en apnée
☐ celle qui est atteinte de dyspnée

**7.** Qu'est-ce que le brigadier quand il ne s'agit pas d'un chef de brigade ?

☐ un poisson osseux apprécié pour sa chair
☐ le bâton utilisé pour frapper les trois coups au théâtre
☐ une punaise des bois rouge et noir
☐ un fouet de cocher

**8.** Accordez correctement à l'imparfait du subjonctif le verbe se taire : « Ah ! Pourquoi te tus-tu ? Pourquoi fallut-il que vous vous... »

☐ taisiez        ☐ taisassiez
☐ tussiez        ☐ tûtes

**9.** Dans le texte suivant, retrouvez et comptez les fautes (voir modalités p. 13)...

Y-a-t'il un parcours flèché pour la ballade de cet après-midi ? Quand nous accèderons à mi-hauteur de la falaise, nous continuerons à marcher quoiqu'il advienne jusque vers les cinq heures et demi, puis nous ferons demi tour, car, avant hier, des randoneurs se sont vus interdire l'accés du sommet.

# *Réponses 1994*

**1.** Voici le texte corrigé dans lequel il fallait trouver **12** fautes :

Quel que soit le musée qui les abri**te**, les chefs-d'œuv**r**e de Pissa**rr**o, Sisley, Monet ou Renoir auront la chance, en cette année du cent **v**ingtième anniversaire de l'impressio**nn**isme**,** de connaître une nouvelle vie. On ne compte pas les expositions conco**m**itantes ni les colloques qui seront organis**és**, ni les revues qui leur seront consacr**ée**s, ni les vidéos qui seront enregistrées à cette occasion. Ainsi, les maîtres de l'impression fugitive et de la couleur se verront tou**t** à la fois fêtés et redécouverts.

Commentaires :

• **abrite** : le verbe s'accorde avec son sujet, **qui**, pronom relatif, ayant pour antécédent **le musée**, donc à la troisième personne du singulier.

• **chefs-d'œuvre** : comme **nids-de-poule**, le premier substantif du mot composé prend seul la marque du pluriel.

• Les trois peintres Camille **Pissarro** (1830-1903), Alfred **Sisley** (1839-1899) et Claude **Monet** (1840-1926) appartiennent à l'époque impressionniste.

• **cent vingtième** : on écrit avec un trait d'union (il s'agit alors d'une fraction) **un cent-vingtième d'une chose,** mais sans trait d'union (adjectif numéral ordinal) **le cent vingtième anniversaire.**

• **impressionnisme** : attention aux deux *n*, comme dans **impressionniste, impressionner** et tous les dérivés d'**impression.**

• **connaître** : ce verbe prend un accent circonflexe sur le *i* à l'infinitif et à la troisième personne du singulier de l'indicatif présent – accent qui est la survivance du *s* de l'ancien français *conoistre*, déjà présent en latin (*cognoscere*).

• **concomitantes** : du latin *concomitari*, « accompagner », cet adjectif signifie « simultané » et s'écrit avec un seul *m* et un seul *t*.

• **organisés** : le participe passé employé avec l'auxiliaire **être** s'accorde avec le sujet, **qui**, pronom relatif, ayant pour antécédent **expositions concomitantes** et **colloques**, donc au masculin pluriel.

• **consacrées** : le participe passé employé avec l'auxiliaire **être** s'accorde avec le sujet, **qui**, pronom relatif, ayant pour antécédent **revues**, donc au féminin pluriel.

• **tout à la fois** : ici, **tout** est adverbe, donc invariable. Il varierait, pour raison d'euphonie, devant une consonne ou un *h* aspiré.

**2. Oui**. À l'origine, constat purement verbal – du latin *processus,* « démarche ». Puis écrit émanant d'une autorité compétente relatant ce qui a été dit et fait dans une circonstance précise. Le trait d'union marque cette distorsion de sens.

**3.** Le **procureur** (de la République) – en argot, le *proc* – est le chef du parquet et exerce, dans un tribunal, les fonctions du ministère public auprès du tribunal de grande instance.

**4.** Parmi ces cinq termes, les quatre qui désignent une lampe sont les suivants : un **carcel** (lampe à huile, du nom de son inventeur), un **lamparo** (lampe placée à l'avant d'un bateau dans la pêche à feu), un **quinquet** (lampe à huile), un **photophore** (lampe portative). Le seul nom féminin, une **pholiote***,* ne désigne pas une lampe, mais un champignon à lamelles, croissant au pied des arbres.

**5. Prendre le contre-pied** est une expression de **vénerie** antérieure au XVIIe siècle.

**6.** Pour parler, il faut encore un tant soit peu respirer. Or une personne en **apnée** (du grec *apnoia,* « absence de respiration ») ne le peut plus ! **Polypnée** : accélération du rythme respiratoire. **Dyspnée** : difficulté à respirer.

**7.** Le bâton utilisé pour frapper les trois coups est bien le **brigadier**. D'autres gradés se cachent dans cette énigme : le capitaine est aussi un poisson d'Afrique osseux apprécié pour sa chair et le gen darme est le nom usuel d'une punaise des bois rouge et noir, le pyrocorise.

**8.** À la deuxième personne du pluriel, **taisiez** est la forme conjuguée de **taire** au présent du subjonctif (il faut qu'il se taise, que vous vous taisiez). L'imparfait du subjonctif est : il fallut qu'il se **tût**, que vous vous **tussiez...**

**9.** Voici le texte corrigé dans lequel il fallait trouver **12** fautes :

**Y a-t-il** un parcours fléché pour la balade de cet après-midi ? Quand nous accéderons à mi-hauteur de la falaise, nous continuerons à marcher quoi qu'il advienne jusque vers les cinq heures et demie, puis nous ferons demi-tour, car, avant-hier, des randonneurs se sont vu interdire l'accès du sommet.

Commentaire :

• **y a-t-il** : attention à bien placer les traits d'union dans ce groupe de mots. Il n'y a pas de trait d'union entre **y** et **a** (et pas d'apostrophe). Après le *t*, le trait d'union, ici, n'a qu'un rôle euphonique, contrairement à **va-t'en**, où il est pronom personnel élidé.

• **fléché** : cet adjectif, issu du verbe **flécher**, prend un accent aigu sur le premier *e* car, comme dans **fléchette**, la syllabe qui suit est accentuée dans la prononciation.

• **balade** : quand il est synonyme de **promenade**, ce mot ne prend qu'un seul *l*. Il ne faut pas le confondre avec l'homonyme **ballade**, pièce de poésie ou de musique, qui prend deux *l*.

• **nous accéderons** : au futur simple et au conditionnel présent, on retrouve l'accentuation de l'infinitif.

• **quoi qu'il** : locution conjonctive concessive ici en deux mots, avec le sens de « quelle que soit la chose que », et non celui de « bien que » (ce serait alors la conjonction de subordination s'écrivant en un mot, **quoique**).

• **et demie** : signifie « et une moitié » (sous-entendu,

ici, d'une heure). **Demi** est ici adjectif et ne s'accorde que lorsqu'il est placé après un nom désignant une quantité entière, ce qui est le cas : « heures ».

• **demi-tour** : placé devant un nom, **demi** est toujours invariable et se lie à celui-ci par un trait d'union.

• **avant-hier** : dans les noms composés, **avant** est presque toujours adverbe et se lie au nom qui le suit par un trait d'union. Exemples : **avant-garde, avant-goût, avant-propos**, etc.

• **randonneurs** : ce mot a conservé les deux *n* du verbe **randonner** (qui existait en ancien français et signifiait « courir rapidement »), dont il est issu, de même que le substantif **randonnée**.

• **se sont vu** : quand le participe passé est suivi d'un infinitif, l'accord a lieu si le complément d'objet direct, étant placé avant le participe, fait l'action exprimée par l'infinitif. Ici, le complément d'objet direct **se**, mis pour **randonneurs**, ne fait pas l'action d'interdire. Le participe **vu** reste donc invariable. Mais on écrira : « ils **se sont vus** gagner la finale ».

• **accès** : il fallait placer un accent grave sur ce mot, comme c'est le cas pour **excès** ou **succès**.

# Tests 1995

**1.** Dans le texte suivant, retrouvez et comptez les fautes (voir modalités p. 13)...

**Le roi du zapping**

« Impossible de lacher ce maudit boitier ! » mau-gréée ce roi du zapping qui presse les touches à tout bout de chant, au grè de ses impulsions. Il passe simultanément d'un multiplexe à un match de foot-ball, d'un thriller à des variétés, d'une série feuille-tonnesque à une publicité. Il n'a pas décripté une émission que déjà, dédeignant le holà de son entou-rage, il repart tous azimuths, et le voilà de nouveau captiver par un inserts avant de foncer, billes en tête et le regard hagard, vers d'autres transes audiovisuels.

**2.** Le mouvement rasta tire son nom de...

☐ rastaquouère
☐ ras Tafari
☐ rassemblement tabou

**3.** À quel domaine appartient le mot anthroponymie ?

☐ la paléontologie
☐ la médecine
☐ la linguistique

**4.** Quel est celui de ces trois couples dont les mots signifient, en français, rigoureusement la même chose ?

☐ gril / grill
☐ yaourt / yogourt
☐ écologique / écologiste

**5.** Salade, saumure, saugrenu, salaire, saucisse, salpêtre : tous ces mots appartiennent à la famille du mot sel.

☐ vrai                    ☐ faux

**6.** Une brique posée sur l'une de ses faces étroites est placée :

☐ de champ
☐ de champs
☐ de chant

**7.** Que désigne le symbole chimique $CO_2$ ?

☐ l'oxyde de carbone
☐ le dioxyde de carbone

**8.** « Dupont ou Durand seront le Premier ministre dans un mois. » Cette phrase est-elle correcte ?

☐ oui                    ☐ non

**9.** Auquel de ces titres manque-t-il un *s* ?

☐ *À l'ombre des jeunes filles en fleur* (Marcel Proust)
☐ *Exercices de style* (Raymond Queneau)
☐ *Le Voleur de bicyclette* (Vittorio De Sica)

**10.** Dans le texte suivant, retrouvez et comptez les fautes (voir modalités p. 13)...

**C'est la fête !**
Si, cette année, le cinéma a cent ans, et bien, les Dicos d'or, eux, fêtent leur dizième anniversaire.

Alors, sortez les fûts, les quartos, les géroboams qui calment la dypsomanie la plus rebelle. Dressez des montagnes de petits beurres et de bretelles ! Rassemblez les pizzas et les picckles de tout accabit ! Allumez des candélabres ou des hallogènes et dansez sur du reggea ou du rock ! Puis saisissez votre Camescope ou votre appareil-photo auto-focus : il ne faut pas rater çà !

# Réponses 1995

**1.** Voici le texte corrigé dans lequel il fallait trouver **14** fautes :

## Le roi du zapping

« Impossible de lâcher ce maudit boîtier ! » maugrée ce roi du zapping qui presse les touches à tout bout de champ, au gré de ses impulsions. Il passe simultanément d'un multiplex à un match de football, d'un thriller à des variétés, d'une série feuilletonesque à une publicité. Il n'a pas décrypté une émission que déjà, dédaignant le holà de son entourage, il repart tous azimuts, et le voilà de nouveau captivé par un insert avant de foncer, bille en tête et le regard hagard, vers d'autres transes audiovisuelles.

Commentaires :

• **lâcher, boîtier** : tous les mots de la famille de **lâche** prennent un accent circonflexe sur le *a* : **lâcher, lâchement, lâcheur**... **Boîtier** vient de **boîte** et s'écrit donc avec un accent circonflexe sur le *i*.

• **maugrée** : du verbe **maugréer**, qui se conjugue comme **créer** à l'indicatif présent : **il crée, il maugrée**.

• **à tout bout de champ** : dans cette expression signifiant « à chaque instant, en recommençant sans cesse », le **champ** désigne une terre cultivée ou un terrain de bataille.

• **au gré de** : **gré** appartient à la même famille de mots que **maugréer** (voir plus haut), **agréable, agréer, malgré**, qui prennent tous un accent aigu sur le *e*.

• **multiplex** : mot latin signifiant « multiple », à rapprocher de **duplex**, mot latin signifiant « double », qui possède la même terminaison.

• **feuilletonesque** : formé de **feuilleton** et du suffixe *-esque*, cet adjectif ne prend qu'un *n*, comme **romanesque**, formé à partir de **roman**. Dans la même famille de mots, **feuilletoniste** ne prend qu'un *n*.

• **décrypté** : formé du préfixe *dé-* et du grec *kruptos*, « caché », ce mot appartient à la même famille que

**crypte**, « grotte, endroit souterrain, caché ». Il signifie « déchiffré ».

• **dédaignant** : vient de **dédain**, dont il conserve le *a*, présent dans le radical.

• **tous azimuts** : attention, cette expression s'écrit toujours au pluriel, et le mot **azimut** se termine par un *t*. La confusion est fréquente avec la finale de **bismuth**.

• **captivé** : participe passé employé comme adjectif et se rapportant au sujet, **le roi du zapping**.

• **insert** : issu de l'anglais *insert*, « ajout, insertion », ce mot a été introduit en France en 1946. Le verbe anglais *to insert* est lui-même formé à partir du latin *inserere*, « insérer ».

• **bille en tête** : dans cette expression, **bille**, comme **tête**, est toujours au singulier.

• **transes audiovisuelles** : **transe** est un nom féminin, l'adjectif **audiovisuelles** (qui s'écrit en un seul mot) s'accorde donc au féminin pluriel.

**2. Rasta(fari)** découle de **ras Tafari**, nom porté par l'empereur d'Éthiopie Hailé Sélassié. Ce mouvement politique, culturel et mystique s'est développé au sein de la communauté noire de la Jamaïque et des Antilles anglophones. **Rastaquouère** (de l'espagnol *rastacuero*, « traîne-cuir »), terme familier et péjoratif, aujourd'hui désuet, désigne un étranger menant grand train, mais dont la fortune suscite bien des interrogations...

**3. Anthroponymie** vient du grec *anthrôpos,* « homme », et *onoma,* « nom ». Ce terme appartient au domaine de la **linguistique** et désigne l'étude des noms de personnes.

**4. Yaourt, yogourt** et même **yoghourt** sont trois graphies pour le même mot. Contrairement à **gril** (ustensile) et **grill** (restaurant), à **écologique** et **écologiste** (des mesures écologiques ; un parti écologiste).

**5. Vrai.** Tous ces mots sont de la famille de **sel.** Ils sont formés sur le radical *sal* (« sel ») : **salade,** du provençal *salada,* « mets salé » ; **saumure,** anciennement *salmuria,* « eau salée dans laquelle on met des aliments pour les conserver » ; **saugrenu,** « inattendu, bizarre », a été formé sur *sau,* forme de **sel,** et *grenu*, de **grain** ; **salaire,** du latin médiéval *salarium,* « ration de sel donnée au soldat » ; **saucisse,** du latin populaire *salcisia,* lui-même formé sur l'adjectif latin *salsus,* « salé » ; **salpêtre,** du latin médiéval *salpetrae,* « sel de pierre ».

**6.** La bonne réponse est **chant**, qui vient ici du latin *canthus,* « bande qui entoure une roue ».

**7.** Le symbole $CO_2$ désigne le gaz carbonique, ou **dioxyde de carbone**, avec ses deux atomes d'oxygène. Le symbole de l'oxyde de carbone étant **CO**, celui du dioxyde de carbone (« di » = 2) est donc $CO_2$.

**8.** Cette phrase est incorrecte car l'accord doit se faire obligatoirement au singulier : un seul des deux sujets **sera** le prochain Premier ministre.

**9.** *À l'ombre des jeunes filles en fleurs*. Lorsque quelque chose produit plusieurs sortes de fleurs, on met un *s*. On écrit : une prairie en fleurs, mais un arbre en fleur.

**10.** Voici le texte corrigé dans lequel il fallait trouver **15** fautes :

**C'est la fête !**
Si, cette année, le cinéma a cent ans, **eh** bien, les Dicos d'or, eux, fêtent leur dixième anniversaire. Alors, sortez les fûts, les quart**aut**s, les **j**éroboams qui calment la **d**ipsomanie la plus rebelle. Dressez des montagnes de petit**s-b**eurre et de **bretzels** ! Rassemblez les pizzas et les pi**ck**les de tout acabit ! Allumez des candélabres ou des halo**g**ènes et dansez sur du regg**a**e ou du rock ! Puis saisissez votre Camé-

scope ou votre appareil photo autofocus : il ne faut pas rater ça !

Commentaires :
- **eh bien** : on emploie **eh** (et non **hé** ni **et**) dans cette interjection qui marque la surprise.
- **dixième** : adjectif numéral ordinal, formé de **dix** et du suffixe *-ième*. Ne pas confondre avec l'orthographe de **dizaine**, mot aussi formé de **dix** et d'un suffixe, mais qui prend un *z*.
- **quartauts** : mot régional désignant un petit tonneau.
- **jéroboams** : vient, par l'anglais, du nom propre **Jéroboam**, roi d'Israël qui, selon la Bible, conduisit son peuple au péché. Cette grosse bouteille a quatre fois la contenance d'une bouteille de champagne normale, soit environ trois litres.
- **dipsomanie** : s'écrit avec un *i*, au début du mot (et non avec un *y*). Ce nom vient du grec *dipsa*, « soif », et de *mania*, « folie ». La **dipsomanie** est une impulsion morbide incitant à ingérer les boissons alcoolisées avec excès.
- **petits-beurre** : les **petits-beurre** sont des petits gâteaux faits avec **du** beurre, ce qui explique l'invariabilité de **beurre** et l'accord de l'adjectif **petits**.
- **bretzels** : nom masculin alsacien, lui-même issu de l'allemand *Brezel*, « bras ». Il désigne une pâtisserie ayant la forme de deux bras entrelacés.

• **pickles** : du mot anglais *pickle*, « saumure », les **pickles** – nom masculin – sont des condiments macérés servis en hors-d'œuvre.

• **de tout acabit** : les mots commençant par *ac-* prennent le plus souvent deux *c*. Mais certains n'en prennent qu'un ; par exemple : **acariâtre, acacia, acajou, académie, acadien, acanthe** et **acabit**.

• **halogènes** : un seul *l*. Du grec *hals*, *halos*, « sel », et du suffixe *-gène*, « naissance, origine ». On dit **une lampe (à) halogène** ou bien **un halogène**.

• **reggae** : mot anglais de la Jamaïque désignant une musique populaire de ce pays, caractérisée par un rythme binaire syncopé.

• **Caméscope** : mot-valise formé de *camé*(ra) et (magnéto)*scope*, ce qui explique que l'on ait conservé l'accent aigu sur le *e*. Il s'agit d'un nom déposé, d'où la majuscule.

• **appareil photo** : contrairement à **roman-photo**, **appareil photo** s'écrit sans trait d'union.

• **autofocus** : adjectif formé à partir du verbe anglais *to focus*, « mettre au point », et du préfixe *auto-*, « soi-même, lui-même », qui s'écrit en un seul mot.

• **ça** : il ne faut pas confondre **ça**, sans accent, pronom démonstratif équivalant à **cela**, et **çà**, avec un accent grave, adverbe de lieu (**çà et là**) ou interjection (**ah, çà !**).

# *Tests 1996*

**1.** Dans le texte suivant, retrouvez et comptez les fautes (voir modalités p. 13)...

### Le rallye automobile

Le rallye automobile atteignait maintenant son dizième jour et la compétition en était à son avant-dernière étape africaine. On en avait vu défiler, des zèbres, des élans, des hourébis et des éléphants de tout accabit ! Quel que fut l'état d'érintement des conducteurs, ses derniers s'aggripaient chacun à son volant avec une tenacité rare. Pas question de mignotter qui que ce soit ! Dès le lever du soleil, ils s'étaient élancé sur les pistes sablonneuses, rêvant de l'ombre salvatrice des palmiers. La chaleur toride qu'ils

avaient due endurer et les nuages qu'ils avaient soulever en passant avaient âprement marqué les visages
déjà burrinés de ces aventuriers.

**2.** Tous ces homonymes existent-ils dans la langue
française ?

**taure          tort          tors          tore          torr**

☐ oui                              ☐ non

**3.** Qu'est-ce qu'un archicube ?

☐ un ancien élève de l'École normale supérieure
☐ un étudiant en troisième année d'architecture
☐ un cube de grande dimension (1 000 m³)

**4.** Lorsque Sainte-Beuve écrit : « Il y a des passages
qui sentent l'huile dans le beau livre de La Bruyère »,
il veut dire que :

☐ certains passages font allusion à des gens célèbres
☐ certains passages ont demandé un travail laborieux
à l'auteur
☐ certains passages risquent, par leur parti pris, de
réveiller des querelles

**5.** Qu'est-ce qu'un spicilège ?

☐ un recueil de morceaux choisis, de documents, d'observations

☐ un élément en forme d'épi, observable dans la chromosphère

☐ une algue verte commune dans les eaux douces

**6.** Parmi ces praticiens, un seul ne soigne pas les humains. Lequel ?

☐ un gériatre
☐ un hippiatre
☐ un pédiatre
☐ un phoniatre
☐ un étiopathe

**7.** Qu'est-ce que la mise en abyme ?

☐ l'ultime préparatif au saut à l'élastique
☐ la répétition d'un élément à l'intérieur de lui-même
☐ le désintérêt pour un auteur autrefois célèbre

**8.** Pour les marins, le pot au noir, c'est :

☐ un temps trop calme et brumeux
☐ une quarantaine pour cause de peste noire
☐ une violente et longue tempête

**9.** Agonir ou agoniser ? Une seule de ces phrases est correcte...

☐ Qu'il agonisse d'injures cet homme qui agonise est révoltant !

☐ Qu'il agonise d'injures cet homme qui agonit est révoltant !

☐ Qu'il agonise d'injures cet homme qui agonise est révoltant !

**10.** Dans le texte suivant, retrouvez et comptez les fautes (voir modalités p. 13)...

**Hi ! hi ! hi !**

Quel embrouilliamini ! Si c'est en Italie qu'on mange des macaronnis, c'est à Paris qu'on joue les dandies, dans les ménageries qu'on peut voir des saïes, des ouistitis ou des saimirïs, dans les étendues saharaouies qu'on recherche des oasis, dans les parfumeries qu'on hume le patchouli, dans les bijouteries qu'on s'extasie sur le lapis-lazzuli, en vénerie qu'on sonne l'halalli, et au paradis, pardi, que les anges rient !

# Réponses 1996

**1.** Voici le texte corrigé dans lequel il fallait trouver **16** fautes :

**Le rallye automobile**

Le rallye automobile atteignait maintenant son dixième jour et la compétition en était à son avant-dernière étape africaine. On en avait vu défiler, des zèbres, des élan**d**s, des **o**urébis et des éléphants de tout a**c**abit ! Quel que f**û**t l'état d'éreintement des conducteurs, **c**es derniers s'a**gripp**aient chacun à son volant avec une t**é**nacité rare. Pas question de migno**t**er qui que ce soit ! Dès le lever du soleil, ils s'étaient élancé**s** sur les pistes sablonneuses, rêvant de l'ombre salvatrice des palmiers. La chaleur to**rr**ide qu'ils avaient **dû** endurer et les nuages qu'ils avaient sou-levés en passant avaient âprement marqué les visages déjà burinés de ces aventuriers.

Commentaires :

• **dixième** : adjectif numéral ordinal, formé de l'adjectif numéral cardinal **dix** et de la suffixation *-ième*. Ne pas confondre avec **dizaine** et **douzième**.

• **zèbres** : prend un accent grave sur le *e*.

• **élands** : nom masculin. Grandes antilopes africaines caractérisées par des cornes légèrement spiralées. Ne pas confondre avec **élan**.

• **ourébis** : nom masculin. Petites antilopes gris fauve de la savane africaine.

• **de tout acabit** : quoique commençant par *ac-*, ne prend qu'un *c*.

• **fût** : verbe conjugué au subjonctif imparfait, troisième personne du singulier, donc *û*.

• **éreintement** : du verbe **éreinter**, formé à partir du préfixe *é-* et de **rein**.

• **ces** : adjectif démonstratif et non pas possessif.

• **s'agrippaient** : vient de **à** et de **gripper**, « attraper », d'où un *g* et deux *p*.

• **ténacité** : nom formé sur l'adjectif **tenace**, s'écrit toutefois avec *é*.

• **mignoter** : de l'ancien français *mignot*, « gentil ».

Terme familier et d'un emploi vieilli qui signifie « choyer, dorloter ». Ne prend qu'un *t*.

• **(s'étaient) élancés** : participe passé du verbe **élancer**, ici à la forme accidentellement pronominale. Il s'accorde avec le complément d'objet direct placé avant le verbe : **s'**, pronom personnel réfléchi mis pour **les conducteurs**, donc masculin pluriel. **S'élancer** fut longtemps et est encore parfois considéré comme verbe essentiellement pronominal.

• **torride** : prend deux *r*. Vient du latin *torridus*, de *torrere*, « brûler » (que l'on retrouve dans **torréfaction, torréfier**).

• **avaient dû endurer** : le participe passé **dû**, suivi d'un infinitif, est employé comme auxiliaire et demeure invariable.

• **(avaient) soulevés** : le participe passé employé avec l'auxiliaire **avoir** s'accorde en genre et en nombre avec le complément d'objet direct **qu'** placé avant, pronom relatif ayant pour antécédent **nuages**.

• **burinés** : vient de **buriner**, lui-même de **burin**, « ciseau d'acier ». Prend un *r*, et un *n* sur le même modèle que **safran, safrané**.


**2. Oui.**

**taure** : régionalisme désignant une génisse ;

**tort** : contraire de **raison** (« avoir tort ») ;

**tors** : adjectif, « courbé, tordu » ; nom, « action de tordre des fils » ;

**tore** : en architecture, grosse moulure, et, en mathématiques, représentation spatiale ;

**torr** : nom masculin formé sur Torricelli. Unité de mesure de pression.

**3.** C'est un **ancien élève de l'École normale supérieure**. Ce terme appartient à l'argot scolaire. Il est composé de *archi-* (« ancien », en grec) et de **cube**, qui désigne un élève redoublant sa deuxième année d'une classe préparatoire à une grande école. Dans le même argot, un **carré** désigne un élève de deuxième année d'une classe préparatoire aux grandes écoles.

**4.** La deuxième réponse est la bonne : dire d'un texte qu'il **sent l'huile**, c'est évoquer les efforts accomplis par son auteur. Sans doute une allusion à la lampe qui brûlait au cours des nuits de travail.

**5.** C'est un **recueil de morceaux choisis**. Le mot **spicilège** est issu du latin *spicilegium*, qui signifie « glanage » (de *spicum*, « épi », et de *legere*, « ramasser »).

**6.** Un **hippiatre** (de la même famille qu'**hippisme**) est un vétérinaire spécialiste des chevaux (*hippos*, en grec). Parmi les quatre autres praticiens, l'un n'est pas obligatoirement médecin : c'est l'**étiopathe**, qui soigne – les hommes – par manipulations, après recherche des causes de la douleur.

**7.** en **abyme** est une locution figée signifiant « sans fond ». Se dit d'une œuvre reproduite – une ou plusieurs fois – à l'intérieur d'une autre de même nature (en peinture, en littérature...).

**8.** Redouté des navigateurs à voile, le **pot au noir** est une zone de calme, brumeuse, sans aucun vent, qui ne permet pas aux bateaux de progresser.

**9.** La première phrase est correcte. Le verbe **agonir**, « insulter », est du deuxième groupe, donc **qu'il agonisse** au présent du subjonctif, comme **finir** : **qu'il finisse**. **Agoniser** est un verbe du premier groupe, donc : **il agonise,** au présent de l'indicatif.

**10.** Voici le texte corrigé, dans lequel il fallait trouver **8** fautes :

**Hi ! hi ! hi !**
Quel embrouillamini ! Si c'est en Italie qu'on mange des macaronis, c'est à Paris qu'on joue les dandys, dans les ménageries qu'on peut voir des saïs, des

ouistitis ou des saïmiris, dans les étendues sahraouies qu'on recherche des oasis, dans les parfumeries qu'on hume le patchouli, dans les bijouteries qu'on s'extasie sur le lapis-lazuli, en vénerie qu'on sonne l'hallali, et au paradis, pardi, que les anges rient !

Commentaires :

• **embrouillamini** : vient de **brouillamini**, même sens, et d'**embrouiller**. Ce mot familier désigne un « désordre » ou une « confusion complète ».

• **macaronis** : mot italien francisé désignant des pâtes alimentaires en forme de long tube.

• **dandys** : hommes élégants dans leur mise et leurs manières. Ce mot vient de l'anglais, et prend un *s* au pluriel en français.

• **saïs** : singes d'Amérique du Sud, du genre sajou, vient du tupi (langue indienne parlée au Brésil) *sahy*, « singe ».

• **saïmiris** : mot tupi, **saïmiri** désigne un sapajou, petit singe de l'Amérique centrale et de l'Amérique du Sud, à longue queue préhensile.

• **sahraouies** : adjectif et nom. De l'arabe *sahra*, « désert ». Il s'agit des étendues du Sahara occidental.

• **lapis-lazuli** : vient du latin médiéval *lapis lazuli*, « pierre d'azur » (*lazulum*, « azur »). Il s'agit d'une pierre fine assez courante, de couleur bleu azur ou bleu outremer.

• **hallali** : en vénerie, sonnerie du cor qui annonce, à la chasse, que la bête poursuivie est aux abois.

# *Tests 1997*

**1.** Dans le texte suivant, retrouvez et comptez les fautes (voir modalités p. 13)...

**La course en mer**

De l'hémisphère boréale jusqu'au cap de Bonne Espérance, les naviguateurs qui ont depuis toujours empruntés la route des mers se sont retrouvés souvent ballotés sous l'effet des vents les plus forts sur l'échelle de Baufort. Nombre d'entre-eux, qui s'étaient embarqué sur des catamarrans ou sur des dériveurs dans la dernière course à la voile autour du monde, par exemple, ont vu des bateaux déssaler et se sont senti couler. Que n'ont-ils alors rêvé désespérément d'une bonasse, d'un vent étal ! Que n'ont-ils espéré que la mer calmit avant qu'ils n'aient été repêchés in extrémis par un thonnier ou un caïque, selon les lieues où ils se trouvaient ! Plus les défis qu'ils s'étaient lancé au départ étaient élevés, plus les obstacles qu'ils ont dus surmonter se sont révélés ardus. Tel est le prix du succès...

**2.** Brûler ses vaisseaux, c'est...

☐ altérer sa santé par abus d'alcool
☐ pratiquer la politique de la terre brûlée
☐ s'interdire tout repli dans un affrontement

**3.** Quel est le verbe employé dans : « Ici gît le roi des buveurs » ?

☐ Gîter
☐ Gésir
☐ Gire

**4.** Quelle est la phrase correctement écrite ?

☐ Disons, par parenthèse, que lui non plus n'était pas bien malin.
☐ Disons, par parenthèses, que lui non plus n'était pas bien malin.

**5.** « Le mentor est un menteur ! » Voilà une expression qui relève de...

☐ l'hypotypose
☐ l'anaphore
☐ la paronomase

**6.** Qu'est-ce que l'on ne peut pas gâcher ?

☐ son plaisir          ☐ son fusil
☐ du plâtre            ☐ sa vie
☐ son talent

**7.** Tous les adjectifs ci-dessous ont sensiblement le même sens, sauf un. Lequel ?

☐ inexprimable         ☐ incommensurable
☐ indicible            ☐ indéfinissable
☐ ineffable

**8.** L'expression « boire le calice jusqu'à la lie » signifie :

☐ supporter jusqu'au bout des épreuves pénibles
☐ se laisser dire des paroles flatteuses
☐ avoir un appétit féroce allant jusqu'à la boulimie

**9.** Une seule de ces phrases est correcte. Laquelle ?

☐ Plus d'un spectateur a applaudi, moins de deux ont sifflé.

☐ Plus d'un spectateur ont applaudi, moins de deux ont sifflé.

☐ Plus d'un spectateur a applaudi, moins de deux a sifflé.

☐ Plus d'un spectateur ont applaudi, moins de deux a sifflé.

**10.** Dans le texte suivant, retrouvez et comptez les fautes (voir modalités p. 13)...

**En Provence**

Puisqu'en cette année on célèbre le centenaire de la mort de Daudet, que diriez-vous, vous tous, d'aller flaner et rêvasser en Provence, là où fleurt bon la lavande, où les effluves embaumées du mimosa vous titillent l'odorat ? Bientôt, vous vous serez laissés séduire par des santoniers et par les merveilles artisanales que ces derniers façonnent de leurs mains. Puis, quand le soleil aura tapé trop fort sur les callebasses ou bien que les pissaladiaires parfumées de farigoule et de basilique vous auront trop enflammées, vous vous réfugierez, si vous aimez le farniente, près d'un mâts à l'ombre des micocouliers pour ouïr le champ des cigales. Et vous glanerez, de-ci de-là, les calenbredaines et autres fariboles murmurés avec l'accent par des pince-sans-rire du crû.

# *Réponses 1997*

**1.** Voici le texte corrigé, dans lequel il fallait trouver **18** fautes :

**La course en mer**

De l'hémisphère boréal jusqu'au cap de Bonne-Espérance, les navigateurs qui ont depuis toujours emprunté la route des mers se sont retrouvés souvent ballottés sous l'effet des vents les plus forts sur l'échelle de Beaufort. Nombre d'entre eux, qui s'étaient embarqués sur des catamarans ou sur des dériveurs dans la dernière course à la voile autour du monde, par exemple, ont vu des bateaux dessaler et se sont senti couler. Que n'ont-ils alors rêvé désespérément d'une bonace, d'un vent étale ! Que n'ont-ils espéré que la mer calmît avant qu'ils n'aient été repêchés in extremis par un thonier ou un caïque, selon les lieux où ils se trouvaient ! Plus les défis qu'ils s'étaient lancés au départ étaient élevés, plus les obstacles qu'ils ont dû surmonter se sont révélés ardus. Tel est le prix du succès...

Commentaires :
• **boréal** : cet adjectif signifie « qui appartient au nord du globe terrestre ». Il s'accorde avec **hémisphère**, qui est du genre masculin.
• **(cap de) Bonne-Espérance** : prend un trait d'union. Ce cap, situé à la pointe de l'Afrique du Sud, fut jadis appelé « cap des Tempêtes ».
• **navigateurs** : bien que ce nom soit dérivé du verbe **naviguer**, il n'y a pas de *u* entre le *g* et le *a*, la prononciation ne l'imposant pas.
• **(ont) emprunté** : le participe passé du verbe **emprunter**, employé avec l'auxiliaire **avoir**, demeure invariable, car le complément d'objet direct qui s'y rapporte, **la route des mers**, se trouve placé après le verbe.
• **ballottés** : attention ! le verbe **ballotter** s'écrit avec deux *l* et deux *t*.
• **(échelle de) Beaufort** : utilisée surtout par la marine, cette échelle donne la force des vents pour une hauteur standard de 10 m au-dessus d'un terrain plat et découvert.

• **embarqués** : ce participe passé d'un verbe transitif direct, employé ici pronominalement, s'accorde au masculin pluriel avec le pronom réfléchi **se** placé avant le verbe, mis pour « ils ».

• **catamarans** : ce nom (milieu du XXe siècle) vient de l'anglais *catimaron*, lui-même du tamoul *katta*, « lien », et *maram*, « bois ». Il désigne une embarcation en général à voiles, formée de deux coques accouplées.

• **dessaler** : formé à partir du verbe transitif signifiant « débarrasser du sel », le verbe **dessaler** est ici intransitif et a le sens – plus récent (XXe siècle) – de « chavirer », en parlant d'un petit voilier.

• **(une) bonace** : la **bonace** est le calme plat de la mer, avant ou après une tempête. Il ne faut pas confondre ce nom féminin avec son homonyme, l'adjectif bonasse (d'emploi familier), signifiant « faible, mou ».

• **(un vent) étale** : cet adjectif prend un *e* final au masculin. Il signifie « sans mouvement » ; un vent **étale** est donc un vent régulier.

• **calmît** : le verbe intransitif **calmir** (deuxième groupe), d'un emploi rare et plutôt propre à la marine, signifie « devenir calme ». Il est, ici, utilisé à l'imparfait du subjonctif, donc avec accent circonflexe sur le *i* (emploi justifié après le verbe **espérer** au passé composé).

• **in extremis** : cette locution adverbiale, du latin

*extrema*, « les choses dernières », s'écrit sans accent et signifie « à la dernière extrémité ».

• **thonier** : ce nom masculin, formé du nom masculin **thon** et de la suffixation *-ier*, désigne « un navire pour la pêche au thon ». Il ne prend qu'un *n*.

• **lieux** : il ne pouvait s'agir que des **lieux**, désignant des endroits.

• **(s'étaient) lancés** : participe passé du verbe transitif direct **lancer** employé ici pronominalement ; il s'accorde au masculin pluriel avec le pronom relatif complément d'objet direct **qu'**, mis pour **les défis**, et placé avant (**s'** est complément d'objet second – ou indirect : « lancer un défi à soi-même »).

• **dû** : le participe passé du verbe **devoir**, au masculin singulier uniquement, prend un accent circonflexe sur le *u*, afin de le différencier de l'article défini et de l'article partitif *du*.

**NB (se sont) senti(s)** : pour déterminer si le participe passé du verbe **sentir** devant un verbe à l'infinitif s'accorde ou non, voir **laissé**, ci-après, réponse du test 10. Cependant, le *Dictionnaire des difficultés de la langue française* (ouvrage de référence Larousse), admet à l'entrée **sentir** l'invariabilité dans tous les cas... Il n'y avait donc pas de faute à compter puisque l'accord pouvait ou non se faire.

**2.** C'est la troisième réponse qui est la bonne. Allusion à Agathocle, tyran de Syracuse, qui, comme d'autres chefs de guerre, une fois débarqué en pays ennemi, fit incendier ses vaisseaux, interdisant ainsi tout espoir de retraite à ses soldats, et les poussant donc à la victoire.

**3. Gésir**, « être étendu sans mouvement », est le verbe employé ici. Conjugaison au présent de l'indicatif : **je gis, tu gis, il (elle) gît** (noter l'accent), **nous gisons, vous gisez, ils (elles) gisent. Gîter,** c'est demeurer, habiter (quelque part). La forme **gire** n'existe pas.

**4.** La première phrase est correcte. Ne pas confondre la locution **mettre entre parenthèses**, où ce dernier mot est nécessairement au pluriel, puisqu'il s'agit des deux signes typographiques, et l'autre locution, **par parenthèse**, « en faisant une digression », où **parenthèse** est non moins logiquement au singulier.

**5.** C'est une **paronomase**, figure de rhétorique – très utilisée dans les slogans de publicité – qui consiste à associer des paronymes (mots de prononciation proche : ici, **mentor** et **menteur**) dans une même phrase.

**6.** Seul le **fusil** ne peut être gâché. Le verbe **gâcher** vient d'un verbe francique ayant le sens de « laver ». **Gâcher du plâtre**, c'est le délayer avec de l'eau ; au figuré, c'est « bâcler, saboter un travail », d'où le sens de « gaspiller » : on gâche son plaisir, on gâche son talent, on gâche sa vie.

**7. Inexprimable, indicible, ineffable, indéfinissable** ont sensiblement le même sens, celui de « qui ne peut être exprimé par des paroles ». En revanche, **incommensurable** signifie « qu'on ne peut mesurer, évaluer ».

**8.** La première proposition est la bonne. Dans le langage mystique, le calice d'amertume est une épreuve cruelle, douloureuse. S'il faut, en plus, en boire la lie, le résidu amer déposé au fond, le châtiment est absolu.

**9.** La première phrase est correcte. Avec **plus d'un**, suivi d'un nom singulier, le verbe se met au singulier : **plus d'un spectateur a applaudi**. Avec **moins de deux**, le verbe se met au pluriel : **moins de deux (spectateurs) ont sifflé.** C'est le groupe adjectif numéral et nom (**un spectateur, deux spectateurs**) qui commande l'accord du verbe. Et non, comme on pouvait l'attendre, l'ensemble de l'expression :

**plus d'un spectateur**, c'est au moins deux ; **moins de deux spectateurs**, c'est un seul.

**10.** Voici le texte corrigé, dans lequel il fallait trouver **13** ou **14** fautes :

**En Provence**
Puisqu'en cette année on célèbre le centenaire de la mort de Daudet, que diriez-vous, vous tous, d'aller flâner et rêvasser en Provence, là où fleure bon la lavande, où les effluves embaumé(e)s du mimosa vous titillent l'odorat ? Bientôt, vous vous serez laissé séduire par des santonniers et par les merveilles artisanales que ces derniers façonnent de leurs mains. Puis, quand le soleil aura tapé trop fort sur les calebasses ou bien que les pissaladières parfumées de farigoule et de basilic vous auront trop enflammés, vous vous réfugierez, si vous aimez le farniente, près d'un mas à l'ombre des micocouliers pour ouïr le chant des cigales. Et vous glanerez, de-ci de-là, les calembredaines et autres fariboles murmurées avec l'accent par des pince-sans-rire du cru.

Commentaires :
• **flâner** : ce verbe, qui signifie « musarder », « se promener sans hâte », prend un accent circonflexe sur le *a*, comme **flânerie, flâneur, flâneuse**...

• **fleure** : le verbe **fleurer**, d'emploi littéraire, signifie « répandre une odeur ». C'est un verbe du premier groupe.

• **embaumé(e)s** : cet adjectif est épithète du nom masculin pluriel **effluves** (« parfum »), avec lequel il s'accorde en genre et en nombre. Cependant, comme *le Petit Larousse illustré* constate que le nom **effluve** est « parfois féminin au pluriel », nous acceptons les deux accords.

• **laissé** : pour savoir si ce participe passé suivi d'un infinitif s'accorde, il faut déterminer si le sujet fait l'action du verbe à l'infinitif (**laissé** s'accorde), ou s'il la subit (**laissé** demeure invariable) ; ici, le sujet **vous** subit l'action de séduire, par conséquent, **laissé** reste invariable.

• **santonniers** : ce substantif masculin est formé du nom **santon** et du suffixe *-ier*, servant à former des noms de métiers (ici, fabricants de santons) avec un redoublement de la consonne *n*.

• **calebasses** : ce nom vient de l'espagnol et désigne le fruit du calebassier et de diverses courges. Il ne prend qu'un *l*.

• **pissaladières** : vient du provençal *pissaladiera*, de *pissala*, « poisson salé ». Une **pissaladière** est une spécialité niçoise, proche de la pizza, faite de pâte à pain garnie d'oignons cuits, de filets d'anchois et d'olives noires.

• **basilic** : plante dont les feuilles aromatiques sont employées en cuisine comme condiment. Ne pas confondre avec **basilique**, édifice religieux.

• **enflammés** : ce participe passé employé avec l'auxiliaire **avoir** s'accorde au masculin pluriel avec le complément d'objet direct **vous**, mis pour **vous tous**, placé avant le verbe.

• **mas** : en Provence, le **mas** est une maison de campagne, une ferme de style traditionnel. Ne pas confondre ce nom avec son homonyme **mât** (d'un bateau).

• **chant** : les cigales **chantent**, et elles ne possèdent aucun champ !

• **calembredaines** : ce nom désigne des « propos extravagants et vains ». Il s'écrit avec un *m* devant le *b*, suivant la règle générale : devant *m*, *b*, *p*, on écrit *m* et non *n* (exceptions notables : **bonbon, bonbonnière, embonpoint, néanmoins**).

• **murmurées** : ce participe passé employé comme adjectif s'accorde avec les deux noms, au féminin pluriel.

• **cru** : il s'agit ici du terroir. L'expression familière **du cru** désigne ce qui a les caractéristiques propres du pays, de la région en question. Il n'y a pas d'accent sur le *u* (accent qui n'existe que sur le participe passé masculin singulier du verbe **croître** : **crû**).

# *Tests 1998*

**1.** Dans le texte suivant, retrouvez et comptez les fautes (voir modalités p. 13)...

**Les merveilles du monde**

La cariole ou la dreisienne, la montgolfière ou le plan-neur, le hors bord, le VTT ou le TGV : tous ces moyens se sont avéré bons pour ceux qui, quelle que soit la somme qu'ils aient économisés, s'en sont allé décou-vrir le vaste monde riche de tant de curiosités à ne pas laissez passer ! De la presqu'ile de Quiberon à l'isthme de Corinthe, du sphynx au Mannecken-Pis, des ama-dryas d'Afrique aux ornythorynques d'Australie, du Connémara à l'Anapurna, ils se sont tous étonnés, se sont esclafés aussi, face à toutes ces merveilles réunies.

Tant de découvertes ont naturellement fait évoluer chacun d'eux. Les peuples qu'ils ont côtoyées, les photographies qu'ils ont accumulées ont forgé d'indélébiles souvenirs qu'ils aiment à se remmémorer, par delà les frontières de l'espace et du temps.

**2.** L'adjectif subéreux désigne ce qui est de la nature :

☐ de l'ambre
☐ du liège
☐ du suif

**3.** Quel domaine étudie un expert en gotique ?

☐ une langue morte parlée par les Goths
☐ un style architectural s'étendant du XIIe siècle à la Renaissance
☐ une écriture du Moyen Âge à traits anguleux

**4.** Le cédrat, la mandarine, la clémentine, l'orange, la bergamote, le pamplemousse, sont-ils tous des agrumes ?

☐ oui          ☐ non

**5.** Scrupule vient d'un nom latin qui signifiait...

☐ poignard
☐ maître d'école

☐ petite pierre pointue
☐ sillon
☐ escargot

**6.** Une tétralogie, c'est...

☐ un ensemble de quatre œuvres
☐ un discours en quatre parties
☐ une œuvre commune à trois auteurs
☐ une œuvre musicale en trois mouvements

**7.** Qu'est-ce qu'une passacaille ?

☐ une pièce musicale apparentée à la chaconne
☐ un oiseau migrateur, voisin de la perdrix
☐ un terme de rugby

**8.** Qu'est-ce qu'une épigramme ?

☐ un trait satirique et mordant
☐ une citation placée en tête d'un livre pour en résumer l'esprit
☐ une inscription gravée sur un tombeau

**9.** Laquelle de ces trois phrases est correctement orthographiée ?

☐ Les charges étant incluses, tout accroissement du loyer est exclus.

☐ Les charges étant inclues, tout accroissement du loyer est exclu.

☐ Les charges étant incluses, tout accroissement du loyer est exclu.

**10.** Dans le texte suivant, retrouvez et comptez les fautes (voir modalités p. 13)...

## La fièvre d'un soir

Vingt et une heure et cinquante-cinq minutes : sur le gazon vert-foncé du stade s'était déroulé le match du siècle. Il avait opposé les deux équipes rescapées des demie-finales que les articles dythyrambiques des journaux avaient portés aux nues. Une foule s'était agglutinée, danse, aux abords du stade. Les gradins avaient faillis crouler sous le nombre. Les supporters, fort exigents, s'étaient époumonés à encourager les leurs. Ces afficionados étaient curieusement atiffés : des tee-shirt à l'effigie des joueurs, des shorts fluos, des casquettes aux couleurs des pays en lisse. Les drapeaux, tels des oriflammes chamarrés, s'étaient mis à claquer très fort derrière les rembardes. Sur la piste, les avant-centres brésiliens, qui s'étaient bien échauffés, avaient même dansé la matshiche ! Quant aux journalistes casqués, dans les tribunes, ils s'étaient mis à réviser dare dare le lexique du foot-ball : les corners et les tâcles, les tirs au butte, les hors-jeux et les shoots. Au paroxysme de l'action, quelques petites phrases incisives avaient émailler les commentaires ouis par trente-cinq millions de téléspectateurs !

# _Réponses 1998_

**1.** Voici le texte corrigé, dans lequel il fallait trouver **19** fautes :

## Les merveilles du monde

La **carr**iole ou la **drai**sienne, la montgolfière ou le planeur, le hor**s-b**ord, le VTT ou le TGV : tous ces moyens se sont avér**és** bons pour ceux qui, quelle que soit la somme qu'ils aient économis**ée**, s'en sont all**és** découvrir le vaste monde riche de tant de curiosités à ne pas laiss**er** passer ! De la presqu'île de Quiberon à l'isthme de Corinthe, du sphinx au Manneken-Pis, des **ha**madryas d'Afrique aux ornithorynques d'Australie, du Connemara à l'**Ann**apurna, ils se sont tous étonnés, se sont esclaff**és** aussi, face à toutes ces merveilles réunies. Tant de découvertes ont naturellement fait évoluer chacun d'eux. Les peuples qu'ils ont côtoyés, les photographies qu'ils ont accumulées ont forgé d'indélébiles souvenirs qu'ils aiment à se remémorer, par-delà les frontières de l'espace et du temps.

Commentaires :
• **carriole** : ce mot, de la famille de **char**, s'écrit avec deux *r*.
• **draisienne** : ce nom, qui désigne l'ancêtre de la bicyclette, a été formé à partir du nom de son inventeur, le baron Drais.
• **planeur** : le verbe **planer** ne prend qu'un *n*, son dérivé **planeur** également.
• **hors-bord** : ce nom invariable est composé des deux éléments **hors**, préposition, et **bord** (d'après l'anglais *out board*), et prend un trait d'union.
• **(se sont) avérés** : verbe employé pronominalement ; il suit la règle du participe passé employé avec **avoir**, s'accordant avec le complément d'objet direct **se**, placé avant le verbe, mis pour **les moyens**, masculin pluriel.
• **économisée** : ce participe passé, employé avec **avoir**, s'accorde au féminin singulier avec **la somme**, complément d'objet direct placé avant le verbe.

• **s'en sont allés** : le participe passé du verbe **s'en aller**, considéré comme essentiellement pronominal, s'accorde avec le sujet **qui**, mis pour **ceux**, donc au masculin pluriel.

• **laisser passer** : ces deux verbes qui se suivent sont à l'infinitif ; il ne fallait pas confondre cette graphie avec celle du nom composé **laissez-passer**.

• **presqu'île** : ce mot prend un accent circonflexe sur le *i*.

• **sphinx** : il faut un *i* dans ce mot d'origine grecque qui désigne un monstre fabuleux représenté par un lion ailé à tête et à buste de femme.

• **Manneken-Pis** : il s'agit de la célèbre sculpture de Duquesnoy le Vieux (1619), placée sur une fontaine de Bruxelles.

• **hamadryas** : ce mot vient du grec *hama*, « ensemble », et de *drûs*, « arbre ». Il désigne un grand singe d'Éthiopie, voisin du babouin.

• **ornithorynques** : formé des mots grecs *ornis*, *ornithos*, « oiseau », et *runkhos*, « bec », ce nom désigne un mammifère à bec de canard, à pattes palmées et à queue plate qu'on trouve en Australie et en Tasmanie.

• **Connemara** : pas d'accent dans ce nom propre d'une région de l'Irlande.

• **Annapurna** : ce nom propre masculin désigne le

sommet de l'Himalaya situé dans le centre du Népal (8 078 m).

• **se sont esclaffés** : verbe essentiellement pronominal, s'écrit avec deux *f*.

• **côtoyés** : le participe passé **côtoyés**, employé avec l'auxiliaire **avoir**, s'accorde au masculin pluriel avec le pronom relatif complément d'objet direct **qu'**, placé avant le verbe et mis pour **les peuples**.

• **se remémorer** : ce verbe pronominal formé à partir du latin *re*, préfixe marquant la répétition, le renforcement, et *memorare*, « rappeler », ne double pas ses *m*.

• **par-delà** : cette locution adverbiale, formée de la préposition **par** et de l'adverbe de lieu **delà**, prend un trait d'union.

**2. Subéreux** vient du mot latin *suber*, « liège », et qualifie ce qui est de la nature du liège.

**3.** Le nom masculin **gotique**, sans *h*, désigne la langue des Goths, langue germanique orientale. Mais l'adjectif **gothique**, avec un *h*, qualifie ce qui est relatif aux Goths : **des coutumes gothiques.** Il s'applique également au style architectural et artistique qui s'est épanoui en Europe à partir du XII$^e$ siècle. Enfin, le nom féminin **gothique**, avec *h*, est un type d'écriture droite anguleuse utilisée du XII$^e$ au XV$^e$ siècle.

**4. Oui**. Les agrumes désignent tous les fruits du genre *Citrus*, c'est-à-dire le citron et les espèces voisines, dont le cédrat, la bergamote, moins connus que l'orange, la mandarine, la clémentine ou le pample-mousse, mais également : la lime, petit citron vert, la bigarade, orange amère, et le kumquat, petit fruit qui se mange souvent confit.

**5.** C'est une petite **pierre pointue aux arêtes vives**... et qui peut gêner, voire blesser, si elle s'insi-nue dans une chaussure. Elle pourrait être beaucoup plus dangereuse si elle pénétrait dans le cerveau ! D'où l'évolution du sens vers une hésitation, une inquiétude, un souci, qui retient l'action, qui contrarie au moment d'effectuer une démarche, qui taraude l'esprit, qui bride – pour des raisons de conscience.

**6.** L'élément grec *tetra* signifie « quatre » – et non « trois » ! Et **tétral** veut donc dire, littéralement, « discours sur quatre choses ». En musique ou en littérature, c'est un **ensemble de quatre œuvres** rele-vant d'une même inspiration (exemple : *la Tétralogie* de Richard Wagner).

**7.** À la fois pièce musicale et danse de cour, la **passa-caille** trouve son origine en Espagne, à la fin du XVI<sup>e</sup> siè-cle, dans la *pasa calle* (de *pasar*, « marcher », et *calle*, « rue »), un air de marche accompagné par un tambou-rin et une flûte. Aux XVII<sup>e</sup> et XVIII<sup>e</sup> siècles, la **passa-caille** devint un grand genre instrumental, qu'illus-trèrent, notamment, Pachelbel, Couperin et Bach.

**8.** L'**épigramme**, petit poème ou **trait satirique**, voire spirituel, et toujours mordant, peut blesser pro-fondément celui qui en est la cible... surtout s'il man-que d'humour !

**9.** La troisième phrase est correcte. **Exclure** et **inclure**, de la même famille, se distinguent cependant aujourd'hui par leur terminaison au participe passé (**exclu, inclus**). Jusqu'au XVII<sup>e</sup> siècle, le participe passé d'**exclure** était **exclus, excluse** : « Pourquoi de ce conseil moi seule suis-je excluse ? » (Racine, *Bajazet*, acte II, scène 3).

**10.** Voici le texte corrigé, dans lequel il fallait trou-ver **25** fautes :

**La fièvre d'un soir**
Vingt et une heures et cinquante-cinq minutes : sur le gazon vert foncé du stade s'était déroulé le match

du siècle. Il avait opposé les deux équipes rescapées des demi-finales que les articles dithyrambiques des journaux avaient portées aux nues. Une foule s'était agglutinée, dense, aux abords du stade. Les gradins avaient failli crouler sous le nombre. Les supporters, fort exigeants, s'étaient époumonés à encourager les leurs. Ces aficionados étaient curieusement attifés : des tee-shirts à l'effigie des joueurs, des shorts fluo, des casquettes aux couleurs des pays en lice. Les drapeaux, telles des oriflammes chamarrées, s'étaient mis à claquer très fort derrière les rambardes. Sur la piste, les avants-centres brésiliens, qui s'étaient bien échauffés, avaient même dansé la matchiche ! Quant aux journalistes casqués, dans les tribunes, ils s'étaient mis à réviser dare-dare le lexique du football : les corners et les tacles, les tirs au but, les hors-jeu et les shoots. Au paroxysme de l'action, quelques petites phrases incisives avaient émaillé les commentaires ouïs par trente-cinq millions de téléspectateurs !

Commentaires :

• **vingt et une heures** : le mot **heure** s'accorde avec le nombre qui le précède.

• **vert foncé** : lorsqu'un adjectif de couleur est suivi d'un adjectif qui le modifie, il ne prend pas de trait d'union.

• **demi-finales** : **demi**, adjectif placé avant un nom, est invariable.

• **dithyrambiques** : cet adjectif signifie « élogieux jusqu'à l'emphase ».

• **avaient portées** : le participe passé **portées**, employé avec l'auxiliaire **avoir**, s'accorde au féminin pluriel avec le pronom relatif complément d'objet direct **que**, placé avant le verbe, et mis pour **deux équipes**.

• **dense** : cet adjectif, signifiant « abondant, serré », s'écrit avec un *e*.

• **avaient failli crouler** : le participe passé du verbe **faillir**, conjugué ici au plus-que-parfait de l'indicatif, est invariable.

• **exigeants** : adjectif verbal, qui prend un *a* après le *e*.

• **aficionados** : ce mot espagnol a d'abord désigné des amateurs de corridas, puis, par extension, des passionnés d'une discipline.

• **attifés** : deux *t* et un *f* pour ce participe passé employé comme adjectif, qui signifie « habillés de façon ridicule ou avec mauvais goût ».

• **tee-shirts** : deux orthographes pour cet anglicisme : **tee-shirt** ou **T-shirt**. Au pluriel : **tee-shirts** ou **T-shirts**.

• **fluo** : l'abréviation de l'adjectif **fluorescent** est invariable.

• **(en) lice** : d'un mot francique signifiant « barrière ». **Entrer en lice**, c'est s'engager dans une lutte, intervenir dans une discussion.

• **telles** : adjectif, s'accorde avec le nom qui suit (**oriflammes**, féminin pluriel).

• **chamarrées** : accord avec le nom **oriflammes**, qui est du féminin.

• **rambardes** : vient de l'italien *rambata* et s'écrit avec un *a*.

• **avants-centres** : l'avant-centre est le joueur qui est placé le plus près du centre sur le terrain ; c'est le seul nom composé avec **avant** dont les deux éléments s'accordent au pluriel.

• **matchiche** : danse d'origine brésilienne à deux temps, en vogue au début du siècle.

• **dare-dare** : cet adverbe prend un trait d'union ;

• **tacles** : pas d'accent sur le *a* de ce mot, qui désigne le fait de bloquer avec le pied l'action de l'adversaire pour le déposséder du ballon.

• **tirs au but** : il s'agit du but, cage du goal.

• **hors-jeu** : ce nom composé, employé ici au pluriel, est invariable.

• **(avaient) émaillé** : participe passé du verbe **émailler**, employé avec l'auxiliaire **avoir** ; il demeure invariable puisque le complément d'objet direct **les commentaires** le suit.

• **ouïs** : ce participe passé du verbe **ouïr**, rarement

utilisé de nos jours si ce n'est dans la langue soutenue, prend un tréma sur le *i*.

• **téléspectateurs** : ce nom formé du préfixe *télé-*
prend deux accents aigus.

# *Tests 1999*

**1.** Dans le texte suivant, retrouvez et comptez les fautes (voir modalités p. 13)...

**Un futur possible**

Tout a été dit et prédit. Alors, inutile de se métamorphoser en pithye, ou de lorgner désespèrément une boule de cristal pour lire l'avenir. Fi des prophèties livrées par le mare de café, les tâches d'encre, les cartes, les oscilations des pendules agitées. Au diable les signes sybillins décryptés par des augures avisées. Rien ne changera plus vraiment la face du monde, à quelque mois de l'an 2000. Inutile, également, de jouer les Nostradamus, d'élaborer des horoscopes fabuleux à tout bout de chant. Ma fois, nous touchons au but : nous parlerons encore le français, nous pairons en francs ou en euros, et les télécommunications nous entraineront dans des réseaux virtuels. Toutes les hypothèses, les probabilités et les prédictions, tous les plans sur la comète tirée par les prédicateurs de tout poil, adeptes de la science-fiction ou de l'anticipation, se sont conjuguées pour construire un futur devenu déjà très présent.

**2.** Cette bande de terre entre les pieds de vigne, c'est un :

☐ montpellier
☐ cavaillon
☐ mercurey
☐ bergerac

**3.** Il y a coup et coup... Quel est celui qui fut porté au jarret ?

☐ coup de pouce
☐ coup de fourchette
☐ coup de Trafalgar
☐ coup de Jarnac
☐ coup de pied de l'âne

**4.** Quelle est la forme conjuguée du verbe **mouvoir** à l'imparfait du subjonctif, deuxième personne du pluriel ?

☐ que vous moussiez
☐ que vous mussiez
☐ que vous meuviez
☐ que vous mouvassiez

**5.** Conformément à l'origine du mot, nos **ministres** sont des :

☐ serviteurs
☐ maîtres
☐ dirigeants
☐ mercenaires

**6.** Desquels n'avez-vous à attendre aucun compliment ?

☐ de vos admirateurs
☐ de vos thuriféraires
☐ de vos contempteurs
☐ de vos flagorneurs

**7.** Quand Proust écrit : « Un bas-bleu, Mme de Villeparisis en avait peut-être été un dans sa prime jeunesse », veut-il dire que Mme de Villeparisis fut...

☐ une jeune fille peu dégourdie, mal à l'aise dans les salons

☐ une jeune fille pédante, se piquant de dons littéraires

☐ une jeune fille un peu sotte, ignorante des choses de la vie

**8.** Les mots fourmi, souris, perdrix sont épicènes. Pourquoi ?

☐ Ils sont tous les trois du même genre : féminin.

☐ Ils désignent tous les trois le mâle et la femelle d'une même espèce.

☐ Ils se terminent tous par le même son : [i].

**9.** Combien d'intrus contient cette phrase euro... péenne ? « Cet eurocrate qui échange des eurodevises contre des eurodollars cotés à l'euromarché n'est pas un eurosceptique ! »

☐ zéro               ☐ deux
☐ un                 ☐ trois

**10.** Dans le texte suivant, retrouvez et comptez les fautes (voir modalités p. 13)...

## La malade imaginaire

Une patiente récalcitrante et un rien acariâtre s'était imaginée que tous les maux de la Terre lui étaient tombée sur la tête. Était-ce un cauchemard ? Tantôt ses omoplates vieillis lui creusaient le dos, tantôt ses douleurs artrithiques la châtouillaient. Elle transformait le moindre bobo en grande maladie. Ainsi, pour elle, une petite toux annonçait une phtysie, un mal de tête bénin une encéphalite aigue, et un simple compère lorriot eut, si on l'avait écouté, nécessité une opération sur-le-champ. Persuadée d'avoir une santé précaire, cette hypochondriaque avait accumulé une pharmacoppée à faire pâlir tous les apothicaires et les homéopathes de France, composée d'antidotes sûres et de panacées réputés, mais encore trop succinte à son gout pour qu'elle vinquît les virus sensés l'agresser. Pas une semaine ne s'écoulait sans que cette malade imaginaire fit se déplacer son médecin malgré lui.

# Réponses 1999

**1.** Voici le texte corrigé, dans lequel il fallait trouver **17** fautes :

**Un futur possible**

Tout a été dit et prédit. Alors, inutile de se métamorphoser en pythie, ou de lorgner désespérément une boule de cristal pour lire l'avenir. Fi des prophéties livrées par le marc de café, les taches d'encre, les cartes, les oscillations des pendules agités. Au diable les signes sibyllins décryptés par des augures avisés. Rien ne changera plus vraiment la face du monde, à quelques mois de l'an 2000. Inutile, également, de jouer les Nostradamus, d'élaborer des horoscopes fabuleux à tout bout de champ. Ma foi, nous touchons

au but : nous parlerons encore le français, nous paierons en francs ou en euros, et les télécommunications
nous entraîneront dans des réseaux virtuels. Toutes
les hypothèses, les probabilités et les prédictions, tous
les plans sur la comète tirés par les prédicateurs de
tout poil, adeptes de la science-fiction ou de l'anticipation, se sont conjugués pour construire un futur
devenu déjà très présent.

Commentaires :

• **pythie** : dans la langue soutenue, on désigne
aujourd'hui par ce terme une devineresse, une pro-
phétesse. Ce nom vient du grec *puthia*, lui-même de
*Puthô*, « Delphes ». La **pythie** était, à Delphes, la
prêtresse de l'oracle d'Apollon.

• **désespérément** : cet adverbe est formé à partir de
**désespéré**.

• **prophéties** : s'écrit avec *ph* ; synonyme de **prédictions**.

• **marc** : ce nom, qui a été formé à partir du verbe
**marcher** – dans le sens d'« écraser » (le raisin) –,
prend un *c* final qui ne se prononce pas.

• **taches** : pas d'accent circonflexe sur ce mot
lorsqu'il désigne une marque colorée.

• **oscillations** : ce nom prend deux *l*.

• **agités** : cet adjectif, ici épithète, s'accorde avec
**pendules**, nom masculin (ici au pluriel) désignant un

instrument composé d'une petite masse pesante pendant au bout d'un fil qui oscille.

• **sibyllins** : dans l'Antiquité, la **sibylle** prédisait l'avenir, d'où l'adjectif **sibyllin**, « mystérieux, caché ». Attention : d'abord *i* puis *y* !

• **décryptés** : adjectif formé du préfixe *dé-* et du grec *kruptos*, « caché ». Il est synonyme de **déchiffré**, **décodé**.

• **avisés** : adjectif accordé avec le mot **augures** (masculin pluriel).

• **quelques** : cet adjectif indéfini signifie « plusieurs » et s'accorde au pluriel.

• **à tout bout de champ** : comme **sur-le-champ**, cette locution adverbiale a été formée à partir du nom **champ**, « terrain, étendue ».

• **ma foi** : cette locution, signifiant « certes, en effet », est formée avec le nom féminin **foi**, « engagement, croyance, confiance ».

• **paierons** : au futur, le verbe **payer** peut s'écrire, à la première personne du pluriel, soit **paierons**, soit **payerons** (forme ancienne mais encore admise).

• **entraîneront** : ne pas oublier l'accent circonflexe sur le *i* dans ce verbe formé à partir du nom **traîne**.

• **tirés** : ce sont les plans qui sont tirés sur la comète ; par conséquent, cet adjectif, épithète de **plans**, s'accorde au masculin pluriel.

• **(s'étaient) conjugués** : le verbe transitif **conjuguer** est ici employé à la forme pronominale. Son complément d'objet direct **s'**, mis pour « toutes les hypothèses, les probabilités et les prédictions, tous les plans... », est placé avant le verbe ; par conséquent, le participe passé s'accorde au masculin pluriel.

**2.** C'est le mot **cavaillon** qui, bien qu'évoquant une ville plus connue pour ses melons **(les cavaillons)** que pour son vignoble, désigne ici une bande de terre entre les pieds de vigne.

**3.** Il s'agit du **coup de Jarnac**. Dans le langage courant, être victime d'un coup de Jarnac, c'est essuyer une attaque déloyale et inattendue de quelqu'un dans une confrontation quelconque. L'expression nous vient du coup d'épée imprévu au jarret porté en duel par le baron de Jarnac, en 1547, au seigneur de La Châtaigneraie. Le **coup de pied de l'âne**, lui, est une insulte adressée « par quelqu'un de faible à quelqu'un qui ne peut plus se défendre » (*le Petit Larousse*).

**4. Que vous mussiez** est la bonne réponse. **Mouvoir** est un verbe du troisième groupe dont la conjugaison, comme celle d'**émouvoir**, à l'imparfait du subjonctif, voit son radical se transformer de *mou* en *mu* **(et -*ssiez*)** pour donner **mussiez**.

**5.** Le mot **ministre** vient du latin *minister*, qui désignait un **serviteur.**

**6.** Les **contempteurs** d'une personne (ou d'une œuvre) n'ont que mépris pour elle, et ne pensent qu'à la dénigrer. Les **thuriféraires** l'encenseront carrément, mais sans doute avec sincérité, alors que les **flagorneurs** la flatteront servilement.

**7.** La deuxième proposition est la bonne. **Bas-bleu** serait une traduction de l'anglais *blue stocking*, expression apparue à la fin du XVIIIe siècle à Londres, dans l'entourage d'une femme de lettres, Mrs. Montague. Celle-ci réunissait dans son salon ses amies et quelques hommes, dont un certain Stillingfleet, qui portait toujours des bas bleus. Par ironie, ce salon devint le « club des bas bleus », puis le nom de bas-bleus fut donné à toutes les dames qui le fréquentaient. Le terme, introduit en France au début du XIXe siècle, désigna une femme aux prétentions littéraires.

**8. Épicène,** du grec *epikoinos* (« commun »), signifie : « qui désigne aussi bien le mâle que la femelle d'une même espèce ». **Fourmi, souris** et **perdrix** sont des noms **épicènes féminins. Termite, rat** et **faisan** sont des noms **épicènes masculins.**

Remarque : en linguistique, **épicène** qualifie des mots dont la forme ne varie pas selon le genre : les pronoms **je** et **tu**, par exemple, sont épicènes ; de même, l'adjectif **rouge** ou le nom **enfant** (**un** ou **une enfant**).

**9. Zéro**. Ces mots « européens » existent tous et sont tous récents : l'**eurocrate** (1964) est un fonctionnaire des institutions européennes (ce mot a souvent une connotation péjorative) ; une **eurodevise** (1965) désigne un avoir placé en Europe, dans une banque d'un pays différent de son pays d'origine ; un **eurodollar** (1970) est un dollar américain placé dans une banque en Europe ; un **eurosceptique** (1992) est quelqu'un qui doute de l'avenir de l'Union européenne.

**10.** Voici le texte corrigé, dans lequel il fallait trouver **20** fautes :

Une patiente récalcitrante et un rien acariâtre s'était imaginé que tous les maux de la terre lui étaient tombés sur la tête. Était-ce un cauchemar ? Tantôt ses omoplates vieillies lui creusaient le dos, tantôt ses douleurs arthritiques la chatouillaient. Elle transformait le moindre bobo en grande maladie. Ainsi, pour elle, une petite toux annonçait une phtisie, un mal de tête bénin une encéphalite aiguë, et un simple compère-loriot eût, si on l'avait écoutée, nécessité une opération sur-le-champ. Persuadée d'avoir une santé précaire, cette hypocondriaque avait accumulé une pharmacopée à faire pâlir tous les apothicaires et les homéopathes de France, composée d'antidotes sûrs et de panacées réputées, mais encore trop succincte à son goût pour qu'elle vainquît les virus censés l'agresser. Pas une semaine ne s'écoulait sans que cette malade imaginaire fît se déplacer son médecin malgré lui.

Commentaires :

• **(s'était) imaginé** : le verbe transitif **imaginer** est ici employé à la forme pronominale. Son complément d'objet direct, la proposition « que tous les maux de la terre lui étaient tombés sur la tête », est placé après, donc le participe passé demeure invariable.

• **tombés** : ce participe passé de **tomber** employé avec le verbe **être** (ici au plus-que-parfait de l'indicatif) s'accorde avec le sujet **tous les maux de la terre**, donc au masculin pluriel.

• **cauchemar** : ne prend pas de *d* final, ce qui est conforme à son étymologie, et cela en dépit de l'existence de l'adjectif dérivé **cauchemardesque**.

• **vieillies** : **omoplate** étant un nom féminin, **vieillies** s'accorde ici au féminin pluriel.

• **arthritiques** : l'orthographe de ce mot se justifie par sa formation à partir du nom **arthrite**.

• **chatouillaient** : comme tous les mots de la même famille, **chatouilleux, chatouillis, chatouillement,** le verbe **chatouiller** ne prend pas d'accent circonflexe sur le *a*.

• **phtisie** : vient du grec *phthisis*, signifiant « consomption ». Ce mot ancien est synonyme de tuberculose pulmonaire.

• **aiguë** : cet adjectif, comme *exigu*, *ambigu*, prend, au féminin, un tréma sur le *e* final.

• **compère-loriot** : autre nom de l'orgelet, ce nom composé avec trait d'union est formé des noms **compère** et **loriot** (oiseau plus petit que le merle, au plumage jaune et noir).

• **eût** : il s'agit du conditionnel passé deuxième forme, mode employé dans une proposition principale soumise à une condition exprimée dans une subordonnée conjonctive introduite par *si* : « si on l'avait écoutée ».

• **écoutée** : ce participe passé s'accorde avec le pronom personnel complément d'objet direct **l'**, mis pour **elle**, placé avant le verbe, donc au féminin singulier.

• **hypocondriaque** : adjectif ou nom formé des éléments grecs *hupo*, « dessous », et *khondros*, « cartilage ». L'**hypocondriaque** (le mot ne prend pas de *h* après le *c*) souffre d'une inquiétude permanente concernant sa santé.

- **pharmacopée** : c'est l'ensemble des médicaments disponibles.
- **sûrs** : épithète d'**antidotes**, cet adjectif s'accorde avec celui-ci au masculin pluriel.
- **réputées** : épithète de **panacées**, cet adjectif s'accorde avec celui-ci au féminin pluriel.
- **succincte** : l'une des fautes très couramment commises en français consiste à oublier le *c* avant le *t* dans ce mot qui, au masculin, se prononce [syksé]. Sur le même modèle, on trouve **distinct**, par exemple.
- **goût** : l'accent circonflexe sur le *u* vient de la transformation de l'ancien *s* latin de *gustus*, qui donna *goust* au XIIIᵉ siècle.
- **vainquît** : il s'agit de la troisième personne du singulier de l'imparfait du subjonctif du verbe du troisième groupe **vaincre**, qui conserve son radical *vain*(**qu**).
- **censés** : ne pas confondre l'adjectif **censé**, qui signifie « présumé, supposé, réputé », avec son homonyme **sensé**, « qui a du bon sens, rationnel, sage ».
- **fît** : on doit employer le subjonctif dans une proposition subordonnée introduite par **sans que** ; ici, c'est l'imparfait du subjonctif à la troisième personne du singulier du verbe **faire**, donc **fît**.

# *Tests 2000*

**1.** Dans le texte suivant, retrouvez et comptez les fautes (voir modalités p. 13)...

**Une étoile est née...**

Des apprentis-comédiens s'étaient retrouvés à dix heures vingt et une précise à la porte du studio pour un casting. Quelles que fûssent les angoisses, les hésitations ou les coups-bas, pas un ne manquaient à l'appel. Les maquilleuses, munies de pinceaux et de houpettes, avaient posé des fars bleûtés et des poudres roses bonbon sur les paupières et les paumettes. Certains s'étaient isolés et toussottaient, envahis par un trac inoui. D'autres resassaient, à l'aide de moyens mémotechniques, des répliques difficultueuses. D'autres encore faisaient de l'esbrouffe et fanfaronaient dans les coulisses, synopsis en main. À l'écart, un cabotin faisait les cents pas en vociférant contre le metteur en scène, qui, pervert, les laissaient poirauter. Tous étaient prêts, du plus placide au plus traqueur, à défendre becs et ongles, durant deux heures jugées interminables, le rôle qu'ils espéraient décrocher. Parmi les trois candidats sélectionnés, une jeune première au carisme d'enfer se distingua et râfla, haut-la-main, le premier rôle.

**2.** Parmi les formes verbales suivantes à l'imparfait du subjonctif, laquelle est incorrecte ?

☐ que nous naquissions
☐ que nous voulassions
☐ que nous reçussions
☐ que nous cuisissions

**3.** Lequel des noms communs suivants n'a pas trait à la musique ?

☐ une cantate
☐ une clairette
☐ une gigue
☐ une chaconne
☐ une ariette

**4.** De ces cinq personnages, lesquels sont éponymes ?

☐ Savart
☐ Poubelle
☐ Poulbot
☐ Colette
☐ Laïus

**5.** L'une de ces quatre définitions n'est pas une acception du mot panne. Laquelle ?

☐ une pièce de charpente
☐ un arrêt de fonctionnement accidentel et momen-
tané
☐ un panier dans lequel le boulanger dépose ses
pâtons
☐ une étoffe comparable au velours mais à poils plus
longs

**6.** Combien d'accents aigus sont à rétablir dans
ces noms célèbres : Clemenceau, Pereire, Gallieni,
Trenet ?

☐ quatre
☐ deux
☐ aucun

**7.** Le balancement du navire se produit entre tribord et bâbord. Alors ça...

☐ tangue
☐ roule

**8.** Sur la plage, l'été, que peut désigner une méridienne ?

☐ un matelas pneumatique
☐ une sieste
☐ une collation à la mi-journée

**Questions subsidiaires**

**9.** Combien d'erreurs le texte suivant comporte-t-il ? (voir modalités p. 13)...

Et oui ! Le grand chic, alors, c'était une chemise jaune claire, rehaussée d'une cravate à pois blancs cassés sur fonds puce, sous une veste bleu-marine.

**10.** Combien d'erreurs le texte suivant comporte-t-il ? (voir modalités p. 13)...

Comment lui recousut-on ses larges plaies à demi-sanguignolentes après qu'il fût tombé de Charybde en Sylla ?

# Réponses 2000

**1.** Voici le texte corrigé, dans lequel il fallait trouver **27** fautes :

Des apprenti**s c**omédiens s'étaient retrouvés à dix heures vingt et une précise**s** à la porte du studio pour un casting. Que**ls** que f**u**ssent les angoisses, les hésitations ou les coups **b**as, pas un ne manqu**ait** à l'appel. Les maquilleuses, munies de pinceaux et de hou**pp**ettes, avaient posé des fa**rds** bleutés et des poudres ros**e** bonbon sur les paupières et les p**om**mettes. Certains s'étaient isolés et tousso**t**aient, envahis par un trac inou**ï**. D'autres re**ss**assaient, à l'aide de moyens **mné**motechniques, des répliques difficultueuses. D'autres encore faisaient de l'esbrou**f**e et fanfaro**nn**aient dans les coulisses, synopsis en main. À l'écart, un cabotin faisait les cen**t** pas en vocif**é**rant contre le metteur en scène, qui, pervers, les laiss**ait** poireauter. Tous étaient prêts, du plus placide au plus traqueur, à défendre bec et ongles, durant deux heures jugées interminables, le rôle qu'ils espéraient décrocher. Parmi les trois candidats sélectionnés, une jeune première au **cha**risme d'enfer se distingua et **ra**fla, hau**t la m**ain, le premier rôle.

Commentaires :

• **apprentis comédiens** : pas de trait d'union entre ces deux mots en apposition, pas plus que pour **apprenti sorcier,** par exemple.

• (**dix heures vingt et une**) **précises** : cet adjectif s'accorde avec **heures.**

• **quels** (**que fussent**) : **quel**, dans la locution concessive **quels... que**, s'accorde avec les sujets **les angoisses, les hésitations ou les coups bas** (sans trait d'union), donc au masculin pluriel.

• **fussent** : verbe **être** conjugué à la troisième personne du pluriel de l'imparfait du subjonctif. Pas d'accent circonflexe, contrairement à la troisième personne du singulier, **qu'il fût.**

• **pas un ne manquait** : **pas un** correspond à **aucun** ; le verbe qui suit est au singulier.

• **houppettes** : ce mot vient du francique *huppo*, « touffe ». Il est formé du nom **houppe** et de la suffixation diminutive *-ette* : **houppette.** Il s'agit d'une petite houppe utilisée pour répartir la poudre de maquillage.

• **fards** : ce **fard** est issu de **farder** (**far**, gâteau breton ; **phare**, bâtiment côtier).

• **bleutés** : de l'adjectif **bleu** (sans accent).

• **rose bonbon** : comme adjectif de couleur, **rose** peut prendre le pluriel. Mais, suivi ici de **bonbon**, il est invariable, car il signifie « rose de la nuance d'un bonbon ».

• **pommettes** : par analogie avec **pommette** (petite pomme), ce mot désigne chacune des deux parties saillantes du visage, un peu arrondies, au-dessous de l'angle extérieur de l'œil.

• **toussotaient** : la plupart des verbes terminés en *-ot(t)er* ne prennent qu'un seul *t* ; c'est le cas de **toussoter**.

• **inouï** : formé du préfixe *in-* et du participe passé de **ouïr**, d'où le tréma sur le *i*.

• **ressassaient** : pour obtenir le son [s] entre deux voyelles, il faut doubler le *s*.

• **mnémotechniques** : cet adjectif est formé de l'élément grec *mnêmê*, « mémoire », et de l'adjectif **technique**. Il s'agit d'un procédé d'association mentale de mémorisation.

• **esbroufe** : un seul *f* à ce nom féminin, provençal *esbroufa*, « s'ébrouer », lui-même de l'italien *sbruffare*, « asperger par la bouche et le nez ».

• **fanfaronnaient** : verbe du premier groupe venant de **fanfaron** avec redoublement du *n*, comme **patron** donne **patronner.**

• **les cent pas** : employé seul comme adjectif numéral, **cent** ne varie jamais.

• **vociférant** : accent aigu sur le *e* devant une syllabe accentuée ; devant une syllabe muette, accent grave (**il vocifère**).

• **pervers** : vient de **perversion**, d'où le *s* final, que l'on ne prononce pas.

• **laissait** : le sujet est **le metteur en scène.**

• **poireauter** : c'est « faire le poireau » (d'où *-eau*), c'est-à-dire « rester debout à attendre ».

• **bec et ongles** : **défendre bec et ongles** est une expression où, logiquement, seul **ongles** est au pluriel.

• **charisme** : vient du grec *charisma*, « grâce, faveur ». Le *ch* se prononce [k].

• **rafla** : **rafler**, comme **rafle, éraflure**, ne prend pas d'accent circonflexe sur le *a*.

• **haut la main** : il n'y a pas de traits d'union.

**2.** La forme incorrecte est **que nous voulassions**. À la première personne du pluriel du subjonctif imparfait, **vouloir** se conjugue ainsi : **que nous voulussions.**

**3. Clairette** est le seul nom qui ne désigne pas une forme musicale : c'est un vin mousseux.

**4.** Un personnage est éponyme (du grec *eponumos*, de *epi*, « sur », et *onoma*, « nom ») quand il donne son nom à quelqu'un ou à quelque chose. **Savart** (1791-1841), physicien français, a donné son nom à une unité de différence de hauteur de sons musicaux ; le préfet **Poubelle** (1831-1907) a donné son nom au récipient qu'il a imposé pour la collecte des ordures ménagères ; le dessinateur **Poulbot** (1879-1946) a créé un type de gosse montmartrois qui porte depuis son nom ; **Laïus** (ou Laïos, en grec), le père d'Œdipe, est à l'origine du nom **laïus**, « le discours de Laïus » ayant été donné comme sujet de concours d'entrée à Polytechnique en 1804. Ce nom désigne depuis une allocution, un discours long et ennuyeux (familier).

**5.** Le panier dans lequel le boulanger dépose les pâtons est un **paneton**.

**6. Aucun.** On prononce ces noms avec un *e* fermé, mais leur graphie a été fixée sans accent. **Clemenceau** tenait beaucoup à cette particularité, paraît-il.

**7.** Quand **ça roule** sur un navire, c'est que le navire se balance de tribord à bâbord. Et le **roulis** ne doit pas être confondu avec le **tangage**, qui, lui, est le mouvement de la proue à la poupe (dans la longueur du bateau).

**8.** Cette **méridienne**, sur la plage ou ailleurs, désigne la **sieste** que l'on fait en milieu de journée (du latin *meridiana* : « de midi »). Le mot, ici de style littéraire, a une autre acception : canapé de repos (pour la **méridienne**, à l'origine), répandu sous l'Empire et la Restauration.

## Réponses des questions subsidiaires

**9.** Ce texte comportait **6** erreurs.
**Eh** oui ! le grand chic, alors, c'était une chemise jaune clair, rehaussée d'une cravate à pois blanc cassé sur fond puce, sous une veste bleu marine.

Commentaires :
Dans **eh oui !**, **eh non !**, **eh bien !**, etc., **eh** est une interjection. À ne pas confondre avec la conjonction **et**. L'adjectif **clair** qualifie la couleur jaune, et non la chemise. L'adjectif **cassé** qualifie le **blanc** des pois, c'est-à-dire d'un blanc cassé (par une autre couleur). Ne pas confondre ce **fond** (arrière-plan de quelque chose) avec le **fonds** (de commerce). Quand un

nom employé comme adjectif précise la nuance d'une couleur, on ne le fait pas précéder d'un trait d'union (**bleu marine** donc, comme **bleu nuit** ou **bleu azur**).

**10.** Ce texte comportait **5** erreurs.

Comment lui recousit-on ses larges plaies à demi sanguinolentes après qu'il fut tombé de Charybde en Scylla ?

Commentaires :

Le verbe **recoudre** fait son passé simple (peu usité) comme **ouvrir** (**il ouvrit**), et non comme **boire** (**il but**). La locution invariable **à demi** : sans trait d'union devant les adjectifs ; avec devant les substantifs (**à demi-voix**, ou **à mi-voix**). Le *g* de **sang** se retrouve dans **sanguinolent**, mais c'est une prononciation relâchée qui entraîne le *g* fautif. **Après que** implique l'emploi de l'indicatif (ici, **fut**, sans accent), puisque l'action est réalisée. En revanche, **avant que** appelle le subjonctif (action à venir, donc supposée). **De Charybde** (tourbillon) **en Scylla** (récif) : dans la mythologie, si l'on évitait le premier, on était projeté sur le second. C'est, en fait, aller de mal en pis.

# *Tests 2001*

**1.** Dans le texte suivant, retrouvez et comptez les fautes (voir modalités p. 13)...

**Un voyage en train**
Deux voyageurs, à six heures et demie sonnés, s'étaient étiré dans les couchettes superposées d'une des voiture-lits. Ils s'étaient levés tout titubant et s'étaient faits un brun de toilette avec les moyens du bord. Bien que cela fut mal-commode, ils avaient enfilé des jeans et des parquas crèmes. Puis, cramponnés aux barres d'appui, ils s'étaient rendus à la voiture-bar, où un café serré et brulant les avaient sorti de leur torpeur. La brume s'étant tout à fait dissipé, des paysages s'étaient succédés, toujours différends,

devant leurs yeux aux paupières alourdies, comme dans un film : des alignements de pylones, les clochettons des églises ou les tourrelles des châteaux-forts, des terrils ou des châteaux d'eaux, mais aussi des chemins zigzagant à travers les vignes. Ici, par dixaines, des freux appeurés s'étaient envolés ; là, des champs de sarrazin avaient alterné avec des terres-pleins, des passages à niveau, des moissoneuses-batteuses, des troupeaux d'ovains... À demi-somnolents, emportés par la course folle du train, ils s'étaient ennivrés de ces vues qui avaient défilées continuement des heures durants, jusqu'à ce qu'ils se soient finalement laissés enchanter par le spectacle d'une mer bleu vert, lieu bénit où ils allaient passer leurs vacances.

**2.** Combien de traits d'union manque-t-il dans cette phrase ?
Notre maître à penser a un nouveau pied à terre dans le Territoire de Belfort : c'est un rez de chaussée sur jardin, c'est à dire un rez de jardin.

☐ six
☐ huit
☐ dix
☐ douze

**3.** Les noms suivants ont un point grammatical commun, sauf un. Lequel ?

☐ jade
☐ topaze
☐ lignite
☐ obélisque
☐ pétale

**4.** Un cruciverbiste veut féliciter un verbicruciste... Quelle formule doit-il employer ?

☐ Bravo pour vos verbes !
☐ Bravo pour vos grilles !
☐ Bravo pour vos croix !

**5.** Ces animaux font de drôles de bruits ! Quelle est la seule bonne proposition ?

☐ La perdrix cacabe.
☐ L'alouette zinzinule.
☐ La mésange grisolle.
☐ Le corbeau coasse.

**6.** Que diriez-vous de votre ça ? Qu'il a d'abord à voir avec...

☐ vos démangeaisons
☐ vos pulsions

☐ vos débiteurs
☐ votre orthographe

**7.** Certains poissons de mer possèdent des organes lumineux, grâce à une substance appelée...

☐ lamparo
☐ luciférine
☐ lucite
☐ luffa

**8.** Parmi les mots suivants, lequel ne vient pas du turc ?

☐ galetas
☐ odalisque
☐ cacique
☐ cravache

# *Réponses 2001*

**1.** Voici le texte corrigé, dans lequel il fallait trouver **36** fautes :

**Un voyage en train**

Deux voyageurs, à six heures et demie sonnées, s'étaient étirés dans les couchettes superposées d'une des voitures-lits. Ils s'étaient levés tout titubants et s'étaient fait un brin de toilette avec les moyens du bord. Bien que cela fût malcommode, ils avaient enfilé des jeans et des parkas crème. Puis, cramponnés aux barres d'appui, ils s'étaient rendus à la voiture-bar, où un café serré et brûlant les avait sortis de leur torpeur. La brume s'étant tout à fait dissipée, des paysages s'étaient succédé, toujours différents, devant leurs yeux aux paupières alourdies, comme dans un film : des alignements de pylônes, les clochetons des églises ou les tourelles des châteaux forts, des terrils ou des châteaux d'eau, mais aussi des chemins zigzaguant à travers les vignes. Ici, par dizaines, des freux apeurés s'étaient envolés ; là, des champs de sarrasin avaient alterné avec des terre-pleins, des passages à niveau, des moissonneuses-batteuses, des troupeaux d'ovins... À demi somno-lents, emportés par la course folle du train, ils s'étaient enivrés de ces vues qui avaient défilé conti-nûment des heures durant, jusqu'à ce qu'ils se soient finalement laissé enchanter par le spectacle d'une mer bleu-vert, lieu béni où ils allaient passer leurs vacances.

Commentaires :

• **sonnées** : ce participe passé s'accorde au féminin pluriel avec les heures (**six et demie**).

• **(s'étaient) étirés** : participe passé du verbe acci-dentellement pronominal **s'étirer**, il s'accorde au masculin pluriel avec le pronom personnel **s'**, com-plément d'objet direct placé avant, mis pour **deux voyageurs**.

• **voitures-lits** : ce nom composé est le terme offi-ciellement recommandé à la place de **wagon-lit**. Il est composé de deux noms ; le premier s'accorde toujours au pluriel, tandis que le second prend ou non la marque du pluriel.

• **titubants** : dans cette proposition, **titubants** est un adjectif verbal et non un participe présent invariable. On le différencie ici grâce à la présence de **tout** qui le précède. Pour les distinguer, on peut essayer de mettre l'ensemble au féminin, ce qui donne : **elles s'étaient levées toutes titubantes**. On s'aperçoit qu'il ne peut s'agir que de l'adjectif verbal, d'où l'accord.

• (s'étaient) **fait** : participe passé du verbe accidentellement pronominal **se faire**, il demeure invariable car il est suivi (et non précédé) du complément d'objet direct **un brin de toilette**.

• **brin** : ne pas confondre **brin (de toilette)** avec son homonyme **brun**, couleur voisine du marron.

• **fût** : le mode subjonctif (ici à l'imparfait) est obligatoire pour l'auxiliaire **être** dans cette proposition subordonnée conjonctive introduite par la locution concessive **bien que**. Donc, **fût** prend un accent circonflexe sur le *u*. Il ne fallait pas le confondre avec le passé simple **fut**, sans accent.

• **malcommode** : les adjectifs composés avec **mal** s'écrivent en règle générale en un seul mot : **maladroit, malappris, malentendu, malintentionné, malvenu**, etc.

• **parkas crème** : **parka**, sorte de veste longue, imperméable, est un nom d'origine inuit, qui est masculin ou féminin. **Crème**, substantif utilisé comme adjectif de couleur, suit la règle générale d'accord et demeure invariable (quelques exceptions : **rose, mauve, pourpre, fauve, écarlate, incarnat**).

• **brûlant** : le verbe **brûler** (de l'ancien français *brusler*) prend un accent circonflexe sur le *u* (en remplacement du *s* originel), tout comme les mots de la même famille : **brûleur, brûlure, brûlant, brûlage**...

• **avait sortis** : le sujet de l'auxiliaire **avoir** est **un café serré**, d'où l'accord au singulier. **Sortis** : participe passé du verbe **sortir**, conjugué avec l'auxiliaire **avoir**, s'accorde ici en genre et en nombre avec le complément d'objet direct qui le précède, **les**, mis pour **les deux voyageurs**.

• **(s'étant) dissipée** : participe passé du verbe accidentellement pronominal **se dissiper**, il s'accorde au féminin singulier avec le pronom personnel *s'*, complément d'objet direct placé avant le verbe, mis pour **la brume**.

• **(s'étaient) succédé** : le verbe accidentellement pronominal **se succéder** ne pouvant avoir de complément d'objet direct, son participe passé est toujours invariable.

• **différents** : attention, il ne faut pas confondre **différend**, nom masculin terminé par un *d* final, et signifiant « désaccord », avec l'adjectif **différent**, « dissemblable ».

• **pylônes** : ce nom prend un accent circonflexe sur le *o*.

- **clochetons** : ne prend qu'un *t*, contrairement à **clochette**, mot de la même famille.

- **tourelles** : est formé de **tour** et de la suffixation *-elle* et ne prend qu'un *r*.

- **châteaux forts** et **châteaux d'eau** : il n'y a pas de trait d'union à **château fort** pas plus qu'à **château d'eau**. Dans le premier cas, **fort** (au sens de « fortifié »), adjectif, s'accorde au pluriel ; dans le second cas, **d'eau** (mis pour « contenant de l'eau »), complément du nom, demeure invariable.

- **zigzaguant** : il ne fallait pas confondre le participe présent du verbe **zigzaguer**, qui s'écrit avec un *u* après le *g* (c'est-à-dire « qui zigzague à travers les vignes »), avec l'adjectif verbal, qui se termine en *-gant* (une route **zigzagante**).

- **dizaines** : **dizaine** n'a pas conservé le *x* de **dix**, mot à partir duquel il est formé, alors que **dixième** l'a conservé.

- **apeurés** : les verbes commençant par *ap-* prennent généralement deux *p*. Font exception, entre autres, les verbes **apercevoir**, **apeurer**, **apitoyer**, **aplatir**, **apurer**...

- **sarrasin** : ce mot prend un *s* et non un *z* – la faute est couramment commise –, qu'il s'agisse de la céréale ou des musulmans ainsi désignés au Moyen Âge par les Occidentaux.

- **terre-pleins** : nom composé de **terre** et de **plein**

S E N I O R S

(c'est-à-dire « empli de terre ») ; la **terre** est considérée comme une matière, d'où invariabilité du nom, alors que le second élément, l'adjectif **plein**, s'accorde.

• **moissonneuses-batteuses** : les dérivés de la famille du mot **moisson** prennent deux *n* : c'est le cas de *moissonner*, *moissonneur*, *moissonneuse*.

• **ovins** : **ovin** vient du latin *ovis*, et désigne les animaux de l'espèce ovine : les brebis, les moutons. Il se termine en *-in*.

• **à demi somnolents** : on ne place un trait d'union après la locution adverbiale invariable **à demi** que lorsque celle-ci précède un nom (**à demi-mot**). Devant un adjectif, comme c'est le cas ici, elle n'en prend pas.

• **enivrés** : certains verbes commençant par le préfixe *en-* suivi d'une voyelle ne doublent pas le *n* (comme **enorgueillir**, **enamourer**) ; d'autres en prennent deux (**enneiger**, **ennuyer**...)

• **défilé** : le participe passé du verbe intransitif **défiler**, conjugué avec l'auxiliaire **avoir**, demeure invariable car il ne peut avoir de complément d'objet direct.

• **continûment** : adverbe qui prend un accent circonflexe sur le *u*, comme **dûment**, **congrûment**, **assidûment** (alors que d'autres adverbes comme **résolument** et **absolument** n'en prennent pas). Il est formé de l'adjectif **continu** et du suffixe *-ment* propre aux adverbes de manière.

• **durant** : préposition (donc mot invariable) qui se place avant ou après un nom (c'est le cas ici, après **des heures**).

• **laissé** : le participe passé **laissé** suivi d'un infinitif ne s'accorde pas lorsque le sujet de la proposition n'effectue pas l'action exprimée par le verbe à l'infinitif.

• **bleu-vert** : les adjectifs de couleur (de base) sont invariables et prennent un trait d'union quand ils sont réunis par deux pour qualifier un seul substantif, ici **une mer**.

• **béni** : le participe passé du verbe **bénir** ne prend pas de *t* final. L'adjectif **bénit**(e), ne s'emploie qu'au sens religieux de « qui a reçu la bénédiction du prêtre ».

**2. Huit** : pie**d-à-t**erre, re**z-de-c**haussée, c'es**t-à-d**ire, re**z-de-j**ardin.

**3. Topaze** est un nom féminin. Les autres noms sont du masculin.

**4. Bravo pour vos grilles !** Dans **cruciverbiste** comme dans **verbicruciste**, on trouve certes **croix** et **verbe(s)** (ici, au sens de « mot »). Mais la définition même du **verbicruciste** (synonyme : **mots-croisiste**) est « auteur de grilles de mots croisés ». C'est donc bien pour la réalisation de celles-ci qu'il pourra être félicité par le **cruciverbiste** (« amateur de mots croisés »).

**5. La perdrix cacabe,** alors que c'est la mésange qui **zinzinule,** et l'alouette qui **grisolle** ! Quant au corbeau, il **cro**asse, bien sûr, tandis que la grenouille et le crapaud **coa**ssent.

**6.** En psychanalyse, et en référence à Freud, le **ça** est « l'instance psychique constituant le rôle **pulsionnel** de la personnalité » (*le Petit Larousse*). Ses contenus, inconscients, entrent en conflit avec ceux du **moi** et du **surmoi.**

**7.** C'est la **luciférine,** qui est un dérivé de **Lucifer** (« qui porte la lumière »). C'est l'oxydation de cette substance qui produit l'émission de lumière.

**8. Cacique** ne vient pas du turc, mais de l'arawak (langue de l'Amérique latine et des Antilles), par l'espagnol. Viennent aussi de l'arawak : **colibri, curare, goyave, pécari,** etc.

# *Tests 2002*

**1.** Dans le texte suivant, retrouvez et comptez les fautes (voir modalités p. 13)...

**Un vrai bijou**

Le vendeur ventait les qualités des innombrables voitures alignées dans son garage, des quatre-quatres aux breaks en passant par les jeaps. « Cette voiture-là, madame, je vous la recommande ! s'était-il esclafé en appuyant véhémentement sur les boutons des lève-vitre. Sa carosserie bleu métallisée, ses sièges arrières rabattables, sa boite à gant fonctionnel, véritable fourre-tout, vous conquierront. Voyez ces pneus costauts aux jentes clinquantes, ces airbagues qui vous èviteront des lésions graves en cas d'accident ! Et puis, des accessoires variés vous rendront la vie à bord agréable : un auto-radios, des essuie-glaces, des pare-soleil, un vide-poche. Protégé par de tels pare-choc, vous roulerez toute en douceur. De jour comme de nuit, vous vous signalerez grâce aux antibrouillard performants, aux stops, aux clignottants et aux warnings... Un matériel rôdé sur plus de cinquante deux mille cinq cents cinq kilomètres ! Si une crevaison survenait et que vous soyiez amené à réparer, pas de problème, tout est là : le crick, la roue de secours et tout le saint-frusquain... Bref, un vrai bijou tout confort pour surfer, sans têtes-à-queue et sans une érâflure, sur les dos-d'ânes. Et elle est dotée d'une impeccable tenue de route. Qui dit mieux ? Le cout d'une telle voiture ? Entre cinq mille cinq cents et six mille deux cent-un euro ! Alors, qu'en dîtes-vous ? »

**2.** Avec une toge et des cothurnes, on serait...

☐ coiffé et vêtu
☐ vêtu et chaussé
☐ chaussé et coiffé

**3.** Lequel de ces animaux chauvit des oreilles ?

☐ l'âne
☐ le grand duc
☐ le furet

**4.** Vous vous heurtez à un empêchement dirimant. En quelle circonstance ?

☐ en cas de grève
☐ face à votre hiérarchie
☐ lors de votre mariage

**5.** Trouvez la bonne conjugaison : Vous, eux et moi...

☐ sont responsables
☐ sommes responsables
☐ êtes responsables

**6.** L'expression plat d'épinards désigne...

☐ un mauvais tableau, où le peintre a abusé du vert
☐ un tableau de qualité, où domine le vert des paysages
☐ une tapisserie contemporaine à dominante de vert

**7.** En Bretagne, le mot recteur a une acception particulière. Désigne-t-il :

☐ l'instituteur
☐ le garde champêtre
☐ le curé

**8.** Bossuet est plus particulièrement connu des :

☐ Marlychois

☐ Meldois
☐ Marlois

**Questions subsidiaires**

**9.** Combien d'erreurs le texte suivant comporte-t-il ?
(Voir modalités p. 13)...

Fut-il un hâvre, ce châlet aussi drolatique que fantômatique ? Non, un simple gîte, pain béni contre la
tempête, fût-elle un cyclone, dans cette zône à râtis-
ser. Fut-ce au bord de l'abîme, on hélitreuillia les
imprudents qui étaient prêts de devoir redescendre
à ski.

**10.** Combien d'erreurs le texte suivant comporte-t-il ?
(Voir modalités p. 13)...

Spécialiste de la métampsychose, le quidam interpelé
était aussi expert comptable et bon connaisseur des
logarythmes. Grâce à la plaidoierie convainquante de
son avocat, il poursuivit sa carrière en Champagne-
Ardennes, puis en Poitou-Charente, où une échino-
cocose le fit agonir.

# Réponses 2002

**1.** Voici le texte corrigé, dans lequel il fallait trouver **36 ou 37** fautes :

**Un vrai bijou**

Le vendeur vantait les qualités des innombrables voitures alignées dans son garage, des quatre-quatre aux breaks en passant par les **J**eeps. « Cette voiture-là, madame, je vous la recommande ! s'était-il escla**ff**é en appuyant véhémentement sur les boutons des lève-vitre**s**. Sa ca**rr**osserie bleu métallis**é**, ses sièges arrièr**e** rabattables, sa boîte à gant**s** fonctionnel**le**, véritable fourre-tout, vous conq**u**erront. Voyez ces pneus costaud**s** aux **j**antes clinquantes, ces airbag**s** qui vous **é**viteront des lésions graves en cas d'accident ! Et puis, des accessoires variés vous rendront la vie à bord agréable : un aut**o**radio, des essuie-glaces, des pare-soleil, un vide-poche. Protégé**e** par de tels pare-chocs, vous roulerez tout en douceur. De jour comme de nuit, vous vous signalerez grâce aux antibrouillards performants, aux stops, aux clignotants et aux warnings... Un matériel rodé sur plus de cinquante-deux mille cinq cent cinq kilomètres ! Si une crevaison survenait et que vous soyez amenée à réparer, pas de problème, tout est là : le cric, la roue de secours et tout le saint-frusquin... Bref, un vrai bijou tout confort pour surfer, sans tête-à-queue et sans une éraflure, sur les dos-d'âne. Et elle est dotée d'une impeccable tenue de route. Qui dit mieux ? Le coût d'une telle voiture ? Entre cinq mille cinq cents et six mille deux cent un euros ! Alors, qu'en dites-vous ? »

Commentaires :

• **vantait** : le verbe **vanter**, du latin *vanitare*, lui-même de *vanitas*, « vanité », signifie « mettre en valeur » (les qualités de quelque chose ou de quelqu'un). Il ne fallait pas le confondre avec **venter**, « faire du vent ».

• **quatre-quatre** : ce nom, féminin ou masculin, formé de la répétition de l'adjectif numéral **quatre**, est invariable. Ce véhicule tout-terrain possède quatre roues motrices, d'où son nom.

• **Jeeps** : nom déposé anglo-américain, à partir de la prononciation des initiales **GP**, de *general purpose*,

« tous usages » (*general*, « général », et *purpose*, « but d'utilisation »), appliqué à des véhicules militaires lors de la Seconde Guerre mondiale.

• **esclaffé** : participe passé du verbe essentiellement pronominal **s'esclaffer**, du provençal *esclafa*, « éclater », de *clafa*, « frapper », dont il a redoublé le *f*.

• **(des) lève-vitres** : nom composé masculin formé de l'élément verbal **lève** (invariable) et du nom féminin **vitre** (variable). Avec **un lève-vitre**, on lève une vitre ; avec **des lève-vitres**, on en lève plusieurs ;

• **carrosserie** : dans la famille du mot **char**, seul **chariot** ne prend qu'un *r* ; les autres noms (**charrette, charretier, carrosse, carrosserie**...) en prennent deux ;

• **bleu métallisé** : lorsqu'un adjectif de couleur est suivi d'un autre adjectif qui le qualifie, les deux demeurent invariables en genre et en nombre.

• **arrière** : ici, **arrière** est adjectif mais invariable.

• **boîte à gants** : ne pas oublier l'accent circonflexe sur le *i* de **boîte** (faute courante), ni le *s* à **gants** (une boîte à gants est supposée en contenir au moins une paire).

• **fonctionnelle** : épithète de **boîte à gants**, l'adjectif **fonctionnelle** s'accorde au féminin singulier.

• **conquerront** : le verbe **conquérir** est conjugué à la troisième personne du pluriel du futur de l'indicatif et, comme **acquérir**, y prend deux *r* (le *r* du radical s'ajoutant à *-ront*).

• **costauds** : cet adjectif prend un *d* final, comme **finaud** et **chaud** ;

• **jantes** : la **jante** est le cercle métallique de la roue. Le mot vient du gaulois *cambo*, « courbe ».

• **airbags** : cet anglicisme est formé de *air,* « air », et de *bag,* « sac » (« sac à air »). Il s'agit de coussins qui se gonflent d'air automatiquement en cas de choc.

• **éviteront** : évitez de mettre un accent grave sur le premier *e*.

• **autoradio** : nom masculin formé de l'abréviation **auto(mobile)** et du nom féminin **radio**. Comme la plupart des noms composés avec **auto,** il s'écrit en un seul mot. Il ne fallait donc compter qu'une seule faute pour ce mot. *[Cependant, certains candidats ont été troublés par les consignes concernant le comptage des fautes dans les noms composés. Ils ont appliqué cette règle à la graphie fautive, et ont par conséquent compté deux fautes. Le jury national a donc décidé d'admettre que l'on compte une ou deux erreurs.]*

• **protégée** : adjectif qualificatif mis en apposition au sujet **vous,** représentant la cliente (**madame**), donc au féminin singulier.

• **pare-chocs** : ce nom masculin, composé de l'élément verbal **pare** et du nom **chocs**, est invariable.

• **tout (en douceur)** : l'adverbe **tout** placé devant un mot commençant par une voyelle demeure invariable (il est variable pour raison d'euphonie devant une consonne ou un *h* aspiré ; exemple : **toute belle**).

• **(des) antibrouillards** : ce nom, formé au singulier de l'élément **anti** et du nom **brouillard**, s'écrit en un mot et prend un *s* au pluriel.

• **clignotants** : ce nom, comme **clignoter** ou **clignotement**, ne prend qu'un *t*.

• **rodé** : lorsqu'il s'agit d'« utiliser une voiture neuve en la faisant fonctionner progressivement », **roder** ne prend pas d'accent ; il vient du latin *rodere*, « ronger ». Avec un accent, **rôder** signifie « errer ».

• **cinquante-deux** : on met un trait d'union entre les chiffres de **dix-sept** à **quatre-vingt-dix-neuf**, sauf quand ils sont reliés par **et** (comme **vingt et un**).

• **(cinq) cent (cinq)** : **cent** multiplié par **cinq** mais suivi de **cinq** demeure invariable. S'il n'avait pas été suivi d'un chiffre, il aurait été variable (exemple : **cinq cents**).

• **soyez** : ce subjonctif présent du verbe **être** ne prend pas de *i* après le *y* (faute couramment commise).

• **amenée** : ce participe passé s'accorde avec le sujet **vous**, mis pour **madame**, donc au féminin singulier.

• **cric** : appareil qui permet de soulever une voiture d'un côté pour changer une roue. Ce mot s'écrit sans **k**.

• **saint-frusquin** : nom composé familier formé de **saint** et du nom argotique **frusquin**, « habit », retrouvé dans **frusques**. L'expression **et tout le saint-frusquin** signifie « et tout le reste ».

• **tête-à-queue** : traits d'union à ce nom invariable qui désigne le changement brusque de direction d'une automobile, se retrouvant ainsi en sens contraire.

• **éraflure** : pas d'accent sur le *a*, pas plus, dans la même famille de mots, qu'à **érafler** ou **éraflement**.

• **dos-d'âne** : nom composé invariable désignant une « bosse » de la route qui évoque le dos d'un âne.

• **coût** : le verbe **coûter** vient du verbe latin *constare*. Dans notre graphie moderne, le *s* a disparu, remplacé par un accent circonflexe sur le *u*.

• **cent un** : il n'y a pas de trait d'union quand **cent**, adjectif numéral, est suivi d'un chiffre ;

• **euros** : nom commun variable dans les textes en français, mais invariable sur les pièces et les billets car ils sont amenés à circuler dans toute l'Europe.

• **dites** : pas d'accent circonflexe sur le *i* du verbe **dire** à la deuxième personne du pluriel de l'indicatif présent.

**2. Vêtu et chaussé.** La **toge** est un vêtement (robe pour certaines professions, pièce d'étoffe dans laquelle se drapaient les Romains...) ; les **cothurnes** sont les chaussures des comédiens du théâtre antique.

**3. L'âne** peut chauvir des oreilles c'est-à-dire les dresser, mais pas le grand duc, ni le furet.

**4. Lors de votre mariage. Dirimant** vient du latin *dirimere*, « annuler ». Un empêchement dirimant fait obstacle à la célébration d'un mariage ou annule un mariage déjà célébré.

**5. Vous, eux et moi sommes responsables.** Règle de l'accord du verbe ayant comme sujets plusieurs pronoms personnels : la première personne (**je, moi** ou **nous**) l'emporte sur la deuxième et sur la troisième (**tu, toi** ou **vous**) et la deuxième sur la troisième (**il/elle, ils/elles** ou **eux/elles**).

**6.** Un **plat d'épinards** est un paysage peint de piètre qualité, au vert trop cru.

**7.** En Bretagne, **recteur** a gardé le sens, ancien, de « **curé** (ou desservant) d'une paroisse ».

**8. Meldois** : Bossuet, ce fameux écrivain et prédicateur (1627-1704), fut évêque de Meaux – d'où son surnom : « l'Aigle de Meaux ». Il est donc bien connu des habitants de Meaux : les **Meldois**. **Marlychois(e)** est l'ethnonyme de Marly-le-Roi (Yvelines), et **Marlois(e)** celui de Marle (Aisne).

**9.** Ce texte comptait **10** erreurs.

Fut-il un havre, ce chalet aussi drolatique que fantomatique ? Non, un simple gîte, pain bénit contre la tempête, fût-elle un cyclone, dans cette zone à ratisser. Fût-ce au bord de l'abîme, on hélitreuilla les imprudents qui étaient près de devoir redescendre à skis.

Commentaires :
**havre** ; **chalet** ; **fantomatique** (sans accent circonflexe).
**bénit** (« pain bénit » équivalait à « aubaine », le *t* rappelant le sens religieux du verbe **bénir** qui donne **bénit[e]**).
**zone** et **ratisser** (sans accent).
**Fût-ce** (subjonctif imparfait).
**hélitreuilla** (de *héli-* et **treuiller**, au passé simple de l'indicatif).
**près de** (sur le point de...).
**à skis** (avec *s*, comme **à patins**).

**10.** Ce texte comportait **9** ou **10** erreurs.
Spécialiste de la métempsycose, le quidam interpellé

était aussi expert-comptable et bon connaisseur des logarithmes. Grâce à la plaidoirie convaincante de son avocat, il poursuivit sa carrière en Champagne-Ardenne, puis en Poitou-Charentes, où une échinococcose le fit agoniser.

Commentaires :

**métempsycose** (sans *h* aujourd'hui, malgré son origine : du grec *metempsychosis*).

**interpellé** : deux *l*, malgré le *e* prononcé fermé.

**expert-comptable** : avec un trait d'union.

**logarithmes** : du grec *logos*, « rapport », et *arithmos*, « nombre ».

**plaidoirie** : sans *e*, comme *voirie*.

**convaincante** : adjectif verbal.

**Champagne-Ardenne** : l'Ardenne.

**Poitou-Charentes** : les deux Charentes.

**échinococcose** : du latin *echinococcus*.

**agonir** pour **agoniser** est une impropriété (mot pour un autre) et non, au sens strict, une faute d'orthographe. *[Le jury a donc décidé de ne pas pénaliser pour cette erreur de sens.]*

*La composition de cet ouvrage
a été réalisée par I.G.S. Charente Photogravure,
à l'Isle-d'Espagnac,
l'impression et le brochage ont été effectués
sur presse Cameron dans les ateliers
de **Bussière Camedan Imprimeries**
à Saint-Amand-Montrond (Cher),
pour le compte des Éditions Albin Michel.*

*Achevé d'imprimer en avril 2003.
N° d'édition : 21570. N° d'impression : 032140/4.
Dépôt légal : mai 2003.*

*Imprimé en France*